D0928734

SCIENCE FICTION

Herausgegeben
von Dr. Herbert W. Franke
und Wolfgang Jeschke

MARC AGAPIT

DIE AGENTUR

Science Fiction-Roman

Deutsche Erstveröffentlichung

WILHELM HEYNE VERLAG
MÜNCHEN

HEYNE-BUCH Nr. 3649
im Wilhelm Heyne Verlag, München

Titel der französischen Originalausgabe
AGENCE TOUS CRIMES
Deutsche Übersetzung von Martin Fischer

Redaktion: Wolfgang Jeschke
Copyright © 1976 by Éditions Fleuve Noir
Copyright © 1979 der deutschen Übersetzung
by Wilhelm Heyne Verlag, München
Printed in Germany 1979
Umschlagbild: Patrick Woodroffe
Umschlaggestaltung: Atelier Heinrichs, München
Gesamtherstellung: Mohndruck Reinhard Mohn GmbH, Gütersloh

ISBN 3-453-30562-0

1

Ich laufe die Hauptstraße einer großen Stadt entlang. Seit einer Viertelstunde laufe ich schon. Ich kenne den Namen dieser Stadt nicht. Ich weiß nicht, wie ich heiße. Ich weiß nicht, wer ich bin. Ich weiß nicht, woher ich komme; ich weiß nicht, wohin ich gehe. Ich weiß nicht, was ich vor der Viertelstunde getan habe, die soeben vergangen ist. Wenn ich mich anstrenge, mich zu erinnern, ist alles in mir leer.

Dennoch habe ich das Gedächtnis nicht ganz verloren, weil ich verstehe, was die ›Leute‹ sagen, die vorübergehen. Ich erinnere mich an alle Worte der französischen Sprache; ich gehe auf einem ›Bürgersteig‹; ich sehe ›Läden‹, eine ›Fleischerei‹, eine ›Apotheke‹, eine ›Buchhandlung‹. Auf der Straße gibt es ›Autos‹, ›Fahrräder‹. Da oben den ›Himmel‹ mit ›Wolken‹. Auf dem Bürgersteig gibt es ›Männer‹, ›Kinder‹, ›Frauen‹. Ich selber bin eine Frau.

Offenbar bin ich gefallen oder jemand hat mich gekratzt, denn ich habe etwas ›Blut‹ an den Fingern. Das kommt von meinem Hals, wenn ich mit der Hand darüber streiche. Ich habe Angst. Ich habe ›Platzangst‹, ich meine Angst vor den Straßen, vor öffentlichen Plätzen. Ich habe Angst, ohnmächtig zu werden. Ich muß irgendwo Zuflucht suchen, um diesem Schrecken zu entrinnen. Aber wohin gehen? Wer kann mir einen Rat geben? Wer kann mir sagen, wer ich bin?

Ich gehe zwischen den Autos über die Straße und auf den ›Polizisten‹ zu, der mit einem weißen Stöckchen den Verkehr regelt. Ich spreche ihn an:

»Bitte, Herr Wachtmeister, ich habe Amnesie, ich habe das Gedächtnis verloren. Bitte helfen Sie mir.«

Er antwortet mir nicht; er hat keine Zeit dazu. Oder er versteht mich wohl nicht. Er zeigt mit seinem Stöckchen auf die Häuser. Will er, daß ich auf den Bürgersteig zurückgehe? Zeigt er mir vielleicht eine ›Polizeiwache‹? Ich laufe wieder zwischen den Autos hindurch zurück, auf die Gefahr hin, zerquetscht zu werden. Ich erreiche den Bürgersteig. Ich sehe ein Schaufenster mit einem Store aus kirschrotem Stoff und darüber:

AGENTUR A. V.

in großen gelben Buchstaben (die anderen Buchstaben fehlen; man könnte denken, daß sie heruntergefallen sind und man sie nicht ersetzt hat). Vielleicht eine Agentur für ›Auskünfte‹? Ich drücke die Türklinke herunter. Ich trete ein. Ich sehe einen Herrn, der in einem Büro an einem Tisch sitzt. Dieser Tisch ist das einzige Möbelstück. Durch den Store am Schaufenster ist es fast dunkel.

»Guten Tag, gnädige Frau. – Sie wünschen?«

»Sie übernehmen Beobachtungen? Nachforschungen?« frage ich den Herrn.

»Ja.«

»Ich möchte, daß Sie mir helfen. Ich möchte wissen, wer ich bin. Es ist ein ganz besonderer Fall. Ich weiß nicht, ob Sie das können . . . Ich habe das Gedächtnis verloren.«

Er reicht mir einen Zettel.

»Schreiben Sie hier Ihren Namen auf.«

»Meinen Namen? – Den habe ich vergessen.«

»Dann hinterlassen Sie bitte als Namenszug Ihre Fingerabdrücke.«

Er läßt mich Daumen und Zeigefinger zuerst auf ein Farbkissen und dann auf ein Blatt von weißem Karton abdrükken.

Er fragt mich:

»Was sind Ihre letzten Erinnerungen?«

Ich antworte:

»Ich erinnere mich an das, was ich seit einer Viertelstunde getan habe.«

»Was haben Sie in dieser Viertelstunde gemacht?«

»Ich bin auf der Hauptstraße spazierengegangen.«

»Sie sind auf der Hauptstraße plötzlich wieder zur Besinnung gekommen?«

»Ja, plötzlich, auf dem Bürgersteig. Ich wußte nicht, wo ich war und auch nicht, warum ich da war.«

»Und . . . vorher?«

»Vorher? Ich erinnere mich nicht; ich sehe . . . ich sehe nichts.«

»Keine Kindheitserinnerung? Strengen Sie sich an.«

»Nein, nichts. Es ist – schrecklich.«

»Was haben Sie in Ihrer Handtasche?«

Ja, er hat recht: Ich habe eine Handtasche. Sie ist aus falschem ›Krokodil‹, kastanienbraun; groß, mit kupferner Schließe und Lederriemen. Ich sehe sie zum erstenmal in meinem Leben. Ich mache sie auf. Sie enthält einen ›Lippenstift‹, ›Geld‹, einen ›Schlüssel‹, ein ›Taschentuch‹, einen ›Spiegel‹. Ich nehme den Spiegel und sehe hinein. *Ich erkenne mich nicht.*

Ich sage:

»Wer bin ich? Es ist das erste Mal, daß ich mich sehe.«

»Das muß ein sonderbares Gefühl sein«, sagt der Angestellte.

»Sehr.«

Ich sehe mich an. Ich bin weder hübsch noch häßlich. Ich habe das verblühte Gesicht einer Frau von fünfzig Jahren, die sich aber gut gehalten hat, mit einigen Falten, schwarzen Haaren, da und dort etwas ergraut; die Nase ein wenig groß; grüne Augen. Ich sehe streng und würdig aus.

»Kein Personalausweis in der Handtasche?« fragt mich der Angestellte.

»Nein, nichts.«

Ich trage eine blaue ›Bluse‹, einen schwarzen ›Rock‹. Es ist eine gepflegte, aber einfache Kleidung; die Kleidung einer Bürgerin des Mittelstandes.

»Vielleicht haben Sie einen Schock bekommen und danach das Gedächtnis verloren?«

»Einen ›Schock‹? . . . Ich . . . weiß nicht.«

Er betrachtet mich neugierig.

Ich frage: »Können Sie etwas für mich tun?«

Er antwortet: »Folgen Sie mir.«

Er steht auf. Ich mache meine Handtasche zu und folge ihm. Er öffnet mir eine Tür.

»Gehen Sie bitte da hinein. Sie werden aufgerufen.«

Ich trete ein, und er macht die Tür hinter mir zu. Es sind Leute da. Ich setze mich auf einen schmutzigen, durchlöcherten Strohsessel an der Wand. Ich werfe flüchtige Blicke auf meine Umgebung.

Wir sind etwa zehn, die warten. Es ist ein niedriger Raum mit Wänden, von denen der Putz abbröckelt, ohne Fenster. Ein Ofenrohr zieht sich an der Decke hin und mündet in ein Wandloch. Einige zerfetzte Anschläge hängen wie Bettlerlumpen herunter. Ein Ordner mit staubigen Akten verliert zur Hälfte seinen Inhalt.

Es riecht wie auf einer Polizeiwache oder im Wartezimmer einer Kanzlei. Das angrenzende Büro, durch das ich eingetreten bin, sauber, wenn auch leer, war luxuriös im Vergleich hierzu: Man könnte von der Kehrseite der Medaille sprechen. Die Deckenlampe, an einem Kabel, nackt, ohne Lampenschirm, spendet grünliche Helligkeit. Die Gesichter mir gegenüber sind bleich; die Augen wirken stumpfsinnig.

Ich beuge mich zu meiner Nachbarin hinüber, einer Art schmutziger Bettlerin. Ich frage sie:

»Bitte, was bedeutet Agentur A. V.?«

»Agentur aller Verbrechen«, sagt sie, mit einem Augenzwinkern.

»Aller Verbrechen?«

Ich verstehe nicht. Sie lächelt, mit verständnisvoller Miene.

»Das kann auch heißen: Aller Vollkommenheit«, fügt meine Nachbarin hinzu, indem sie mit einer weiten Handbewegung auf das miserable Zimmer deutet.

»Es soll heißen: Aller Verfahren, für die Advokaten«, sagt ein Herr in schwarzer Robe mit weiten Ärmeln.

»Aller Verschlagenheit, für die Geschäftsleute«, sagt ein anderer, der eine mit Papieren vollgestopfte Aktentasche auf seinen Knien hält, »auch für die Gauner und die Hochstapler in der Politik.«

»*Aller Verliebten*, für die Liebespaare«, sagt ein fünfter mit langen Haaren und offenem Kragen, einem Zeichenkarton unter den Armen und in Gesellschaft einer jungen Frau mit Pferdeschwanz-Frisur.

Ich sehe, sie machen sich alle über mich lustig. In Wirklichkeit werden das A. V. die Initialen des Direktors sein.

Plötzlich macht eine Frau die Tür im Hintergrund einen Spalt weit auf. Sie ist groß und schwarz gekleidet; ihre linke Hand spielt mit einem Elfenbeinknöchelchen, das an einer langen silbernen Kette an ihrem Hals hängt. Ihre rechte Hand hält ein Blatt Papier. Sie überfliegt die Liste und ruft einen Namen auf.

»Lucien Avesques.«

Ein kleiner alter Herr, geschniegelt und gepflegt, die Augen schamhaft zu Boden geschlagen, steht auf und folgt der Dame nach draußen. Die Türe schließt sich wieder.

Durch die andere Tür (diejenige, durch die ich in das Zimmer gekommen bin) kommt ein Herr herein, von dem Angestellten des Vorzimmers geführt. Er wirft einen erstaunten Blick in die Runde und setzt sich dann mit resignierter Miene auf den freien Stuhl. Die Dame mit dem Knochen kommt wieder. Sie ruft:

»Jeanne Castel.«

Meine Nachbarin erhebt sich, geht hinaus. Es geht alles schnell.

»Pierre Aimé.«

Es geht immer flott weiter. Wie machen sie es nur, daß alles so schnell geht? Die zehn Personen, die vor mir da waren, sind schon wieder hinausgegangen. Zehn andere sind an ihre Stelle getreten.

»Jacqueline Vermot.«

Niemand reagiert. Wo ist sie denn, diese Jacqueline Vermot?

»Sie da drüben«, sagt die Dame in Schwarz.

Ihr Zeigefinger weist in meine Richtung.

»Wie? Was? Ich bin gemeint?«

Ich stehe auf; ich gehe zu der Dame hin. Ich sage zu ihr:

»Sie kennen meinen Namen? Sie wissen, wer ich bin?«

»Kommen Sie bitte mit mir.«

Ich folge ihr auf einen langen Korridor, dann gehe ich hinter ihr her eine Treppe hinunter, die zu einer Art Keller mit nackten, feuchten Wänden und gewölbter Decke führt. Einziges Möbelstück ist ein Tisch mit abgeschabter schwarzer Platte. Darauf steht ein Kerzenhalter mit brennender Kerze.

Am Tisch sitzt ein magerer Herr mit spitzen Ohren. Für die Besucher ist ein Stuhl da. Ich bleibe stehen. Der Herr hält ein Papier in der Hand. Sein Gesicht ist zur Hälfte durch eine schwarze Brille und einen grünen Augenschirm verdeckt.

Er sagt:

»Wir haben uns beim Kommissariat der Stadt erkundigt und Ihre Fingerabdrücke vorgelegt. Man hat diese Fingerabdrücke auf einem Paß wiedergefunden, den Sie sich vor ein paar Jahren haben ausstellen lassen, um ins Ausland zu reisen, und den Sie nicht abgeholt haben. Diesem Paß mit Ihrem Foto haben wir Ihren Namen und Ihre Adresse entnommen. Wir haben verschiedenes auf diesem Blatt Papier notiert. Wir haben ein Taxi für Sie bestellt, das Sie vor der Tür der Agentur erwartet. Es wird Sie zur Busstation bringen. Mit dem Bus kommen Sie nach Hause. Ihr Wohnort ist in der näheren Umgebung der Stadt, auf dem Lande. Wir haben mit dem Bürgermeister des Ortes telefoniert. Er weiß, wer Sie sind; Sie wohnen immer noch dort, wie im Paß angegeben. Haben Sie Geld? Wenn nicht, können wir Ihnen etwas vorschießen.«

Ich mache meine Handtasche auf, ich nehme die Banknoten heraus.

»Wieviel bin ich Ihnen schuldig?«

Er sagt mir den Preis. Ich gebe ihm eine Banknote. Er gibt mir das Papier, auf dem mein Name und meine Anschrift angegeben sind.

»Ich danke Ihnen«, sage ich. »Sie haben nicht nur schnell, sondern auch unauffällig gearbeitet.«

Er antwortet:

»Der Wahlspruch unserer Agentur ist: *Arbeit. Verschwiegenheit.*«

»Ah, ich verstehe«, sage ich.

»Auf Wiedersehen, gnädige Frau. Alles Gute.«

»Auf Wiedersehen!«

»Kommen Sie«, sagt die Dame.

Ich gehe hinter der Dame her. Durch das alles erfahre ich immer noch nicht, wie ich das Gedächtnis verloren habe. Ich frage die Dame:

»Haben Sie viele Kunden, die das Gedächtnis verloren haben?«

Sie antwortet:

»Wir haben nur solche. Das ist eine weitverbreitete Krankheit, wissen Sie.«

»Tatsächlich?« sage ich verblüfft.

Ich habe den Eindruck, daß sie scherzt. Aber wohl doch nicht: Sie macht ein sehr ernstes Gesicht. Ich habe sie gefragt, in der Hoffnung, daß sie ein paar Worte der Ermutigung, des Trostes für mich hat. Ich fühle mich verloren. Sie sagt nichts. Wir gehen schweigend die Treppe hinauf. Am Ende des Ganges öffnet sie die Tür, und ich sehe die Hauptstraße. Die Helligkeit des Tages blendet mich. Ich frage:

»Was für eine Stadt ist das?«

Sie sagt mir den Namen der Stadt. Ich stoße einen Schrei aus.

»Was haben Sie?« fragt die Dame.

»Der Name der Stadt, den Sie soeben ausgesprochen haben . . . er hat eine Erinnerung in mir geweckt. Ich habe etwas gesehen . . . für den Bruchteil einer Sekunde . . . ich weiß nicht genau, was ich gesehen habe . . . ich habe es vergessen.«

»Das Taxi wartet auf Sie«, sagt sie.

»Danke«, sage ich.

Grüßend neige ich den Kopf. Ich wende mich der Straße zu.

Ich höre hinter mir das Geräusch der Tür, die sich schließt. Ich gehe zum Taxi. Ich sage dem Fahrer, daß ich zur Busstation will.

Er sagt:

»Ich weiß.«

Ich steige in das Taxi. Wir fahren durch die Stadt. Das Taxi hält an einem Platz an. Der Fahrer gibt mir Bescheid:

»Da drüben steht Ihr Bus. Er wird gleich abfahren. Sie müssen sich beeilen.«

»Was bin ich schuldig?«

Er sagt mir den Preis für die Fahrt. Ich greife in die Handtasche. Ich reiche ihm einen Geldschein. Ich sage:

»Der Rest ist für Sie.«

Ich gehe zur Busstation. Ich steige in den Bus. Der Schaffner hilft mir hinein. Ich sage ihm, wohin ich fahren will. Er gibt mir einen Fahrschein. Ich bezahle. Ich sage ihm:

»Sagen Sie mir bitte, wo ich aussteigen muß. Ich bin hier fremd. Wenigstens kommt es mir so vor. Ich habe mein . . .«

Ich verstumme. Er hört mir nicht zu; er fertigt weitere Reisende ab. Ich werde rot, weil ich mich ihm beinahe anvertraut hätte. Interessiert ihn denn mein Fall? Oder wird er gar glauben, daß ich . . . Ich muß mich in acht nehmen, damit er mich nicht für verrückt hält.

Ich finde einen freien Platz. Der Bus fährt durch enge Straßen, verläßt die Stadt. Durch die Scheiben betrachte ich das Land. Ein Fluß, Bäume, Hügel. Ich kenne die Landschaft nicht. Der Bus fährt mir nicht schnell genug. Er hält auch zu oft. Ich brenne vor Ungeduld. Es dauert zu lange. Nach meiner Ankunft werde ich mein Haus wiederfinden; ich werde wissen, wer ich bin. Nach und nach wird mein Gedächtnis wiederkommen.

2

Nach einer Viertelstunde beugt sich der Schaffner über mich und bedeutet mir, daß ich aussteigen soll. Ich bin angekommen, wie es scheint. Ich steige aus.

Ich befinde mich auf einem Dorfplatz. Ich sehe einen Markt mit zahlreichen Ständen mit Früchten, Gemüsen. Eine Frau begrüßt mich mit einem Kopfnicken. Wer ist sie? Ich kenne sie nicht. Schnell verlasse ich den Markt, aus Angst, von den Leuten erkannt zu werden, die ich nicht kenne. Wie sonderbar! Ich habe den Eindruck, daß ich diesen Markt nie zuvor gesehen habe.

Ich verlasse das Dorf. Ich bin auf einer Straße, die links und rechts von Platanen gesäumt wird. Ich gehe weiter. Ich habe das Bedürfnis, allein zu sein, nach Hause zu kommen. Wo ist mein Haus? Wo bin ich zu Hause?

Ich gehe an einer Mauer entlang, die mir endlos erscheint. Rechts sehe ich über der Mauer ein Kreuz. Dann sehe ich hinter einem Gittertor einen Friedhof. Dort, wo die Friedhofsmauer endlich aufhört, steht eine Kirche. Dahinter erkennt man einen Hügel mit Häusern, eine Garage. Es sieht aus wie ein zweites Dorf, hinter dem ersten, in dem ich wohne.

Ich bin zu weit gegangen. Offenbar habe ich meine Wohnung verfehlt. Ich kehre um. Ich hole aus meiner Handtasche das Blatt Papier, auf dem mein Name und meine Anschrift notiert sind. . . . Straße. Eine Hausnummer ist nicht angegeben.

Ein Mann geht vorbei. Er mustert mich neugierig. Ich habe Lust, ihm das Papier zu zeigen, damit er mich zu meinem Haus führt. Wenn er sich nun über mich lustig macht, weil ich nicht einmal weiß, wo mein eigenes Haus steht?

Es hilft alles nichts, ich muß mich erkundigen. Während ich noch überlege, entfernt sich der Mann. Nun ist es zu spät, zu fragen; er ist vorbeigegangen. Er ist schon vierzig Meter weit entfernt.

Mechanisch gehe ich zum Markt zurück. Plötzlich überlege ich es mir anders. Ich drehe dem Markt den Rücken. Ich kehre wieder um. Ich bin ratlos. Ich weiß nicht, was ich tun soll. Auf einmal höre ich hinter mir rufen:

»Fräulein – heh! Fräulein!«

Ich drehe mich um. Es ist die Frau, die mich auf dem Markt gegrüßt hat. Ich erkenne sie wieder. Sie hat das Aussehen einer bejahrten, aber immer noch gutaussehenden Bäuerin. Sie trägt ein schwarzes Schultertuch, einen rosafarbenen Rock. In der Hand trägt sie ein Netz voller Lebensmittel, die herausquellen. Sie spricht mich an.

»Muß der Haushalt heute morgen gemacht werden? Ich habe gedacht, daß Sie mit dem Zug wegfahren wollten, als ich sah, daß Sie gekommen waren. Sie könnten mir vielleicht den Schlüssel dalassen.«

Ich antworte:

»Den Haushalt machen? Ja – nein. Ich weiß nicht.«

Ich klammere mich an diese Rettungsplanke. Ich greife zu einer List und sage:

»Ich weiß nicht, was mit mir ist. Ich fühle mich nicht wohl. Können Sie mich nach Hause bringen?«

Sie antwortet:

»Aber selbstverständlich. Ich habe mir schon gedacht, daß mit Ihnen etwas nicht in Ordnung ist, als ich Sie auf dem Markt sah und Sie mich so anguckten, als ob Sie mich nicht kennten.«

»Ja, ich . . .«

Sie faßt mich am Arm und läßt mich eine halbe Kehrtwendung machen.

»Stützen Sie sich auf mich.«

Sie tätschelt mir sanft die Hand. Ich bin gerührt von diesem Sympathiebeweis. Ich breche in Tränen aus.

»Gehen wir«, sagt sie sanft.

Ich hole das Taschentuch aus meiner Handtasche und betupfe mir die Augen.

Sie fragt mich:

»Haben Sie den Schlüssel?«

Ich blicke auf. Ich sehe ein einzelnes Haus am Rand der Straße, gerade vor der Mauer, die sich bis zur Kirche hinzieht. Auf der anderen Straßenseite gegenüber steht ein Häuschen, ebenfalls für sich allein stehend.

Ich stoße einen durchdringenden Schrei aus, als ich es sehe. Für die Dauer eines Blitzes habe ich in meiner Erinnerung gesehen ... ich weiß nicht, was ich gesehen habe. Meine Vision ist verschwunden. Ich erinnere mich nicht mehr an das, was ich gesehen habe. Mein erschrockenes Herz klopft. Es hämmert in den Schläfen und in den Halsadern. Ich muß ganz rot oder vielleicht blaß geworden sein. Die Frau, die mich führt, muß glauben, daß ich verrückt bin. Eine Träne des Mitgefühls tritt in ihre Augen. Sie fragt:

»Soll ich den Doktor holen?«

Ich antworte heftig:

»Den Doktor? Nein, nein.«

Ich gebe ihr den Schlüssel. Sie öffnet die Tür mit dem Schlüssel. Sie dreht ihn zweimal um. Sie drückt auf die Türklinke, von oben nach unten. Es ist eine von diesen Türen mit zwei übereinander angeordneten Flügeln, einer vom anderen unabhängig. Sie stößt den oberen Flügel auf und dann den unteren. Wir befinden uns in einer Art von engem Windfang, der als Eingang dient.

Die Frau tritt etwas zur Seite, um mich hineinzulassen. Ich gehe weiter ins Innere des Hauses. Die Frau folgt mir; sie öffnet die Fensterflügel und dann die hölzernen Fensterläden, die sie an der Außenwand festmacht. Ich spüre einen dumpfen Geruch.

Die Frau sagt:

»Ich mache Ihnen einen Kaffee, der wird Ihnen guttun.«

Sie bietet mir einen Stuhl an. Ich setze mich. Ich werfe erstaunte Blicke um mich. Ich bin in einer großen Küche, die ich nie zuvor gesehen habe. In der Mitte steht ein rechteckiger Tisch mit einer Wachstuchdecke und einem Stuhl an jedem Ende. Der Kamin ist riesig; vor ihm steht ein Tragkorb voller Holzscheite. Über einem Dreifuß befindet sich ein Kesselhaken, an dem ein Kupferkochkessel hängt. Auf einem erhöhten Bord sind Töpfe untergebracht. An einer Küchenwand sehe ich ein großes, schrankartiges, ländlich anmutendes Buffet. An einer anderen Wand hängen Kasserole und anderes Küchengerät, darunter eine kupferne Zierschale. In einer Ecke befindet sich der Ausguß, darüber eine Wasserpumpe. Die Wände sind alle weiß gekalkt. Der Fliesenbelag des Fußbodens, sehr sauber, ist abwechselnd grau und gelb. Von der Decke hängt eine elektrische Lampe in einem Porzellanschirm herunter, mit einem Gehänge aus Glasperlen. Eine Steintreppe ohne Geländer führt zum höheren Stockwerk. Über der Eingangstür sehe ich eine große Bronzeglocke, von der ein verrosteter Eisendraht nach draußen führt. Die eine der Wände ist mit einem Bild und zwei Porträts geschmückt. Das Bild stellt eine Jagdszene dar. Mich schaudert.

Die Frau beobachtet mich schweigend.

Ich frage:

»Wie heißen Sie?«

Sie sieht mich verdutzt an. Sie antwortet:

»Marie natürlich. Marie Trégnier. Aber das wissen Sie doch.«

Sie macht eine unbeholfene Geste.

Ich muß ihr gestehen, daß ich mein Gedächtnis verloren habe, um fragen zu können, um Auskünfte zu bekommen. Selbst wenn es sie erschreckt. Ich sage:

»Sehen Sie, Marie, ich fürchte, daß ... ich das ... Gedächtnis verloren habe. Ich weiß nicht, wie das gekommen ist. Ich hatte sogar meinen Namen vergessen. Man hat ihn mir aufgeschrieben, auf das Papier, das ich in meiner Handtasche habe. Ich heiße Jacqueline Vermot, nicht wahr?«

»Aber ja ... Oh, der Kaffee kocht!«

Sie stürzt zu dem kleinen Spirituskocher, löscht die Flamme mit einem Deckel, gießt den Kaffee in eine Tasse, gibt Zucker dazu, bringt ihn mir. Ich trinke ihn mit Wonne.

Es scheint mir, daß ich zum erstenmal in meinem Leben etwas trinke. Sie fragt mich:

»Wollen Sie Brot, Butter?«

»Nein, danke, ich habe keinen Hunger. Ich habe mich wiedergefunden, stellen Sie sich vor, ich weiß nicht, wie, in der Stadt, auf einer großen Straße, und hatte mein ganzes vorheriges Leben vergessen. Ich bin zu einer Agentur gegangen, die mich mit dem Taxi zur Busstation hat bringen lassen, und . . . Sagen Sie, Marie, liegt es lange zurück, seitdem Sie mich nicht mehr gesehen haben?«

»Lange? Bestimmt nicht. Ich habe Sie erst gestern auf der Straße gesehen. Ich stand am Fenster. Sie sind zum Lebensmittelhändler gegangen, dann zum Fleischer, mit Ihrer Einkaufstasche.«

»Habe ich . . . normal ausgesehen?«

»Aber ja.«

»Und dann, bin ich dann nach Hause gegangen?«

»Ich glaube ja, genau weiß ich es nicht.«

»Und dann? Sie wissen nicht, ob ich mit dem Zug oder mit dem Bus zur Stadt gefahren bin?«

»Nein.«

»Habe ich vielleicht einen Schock erlitten, eine schlechte Nachricht bekommen?«

»Ich weiß nicht.«

»Wohne ich schon seit langem hier?«

»Aber Sie sind doch in diesem Haus geboren. Vor zwei Jahren haben Sie Ihre Stellung als Lehrerin aufgegeben und sind in Pension gegangen.«

»Lehrerin?«

»Ja. Sie haben in dieser Stellung Ihr ganzes Leben verbracht, in der Mädchenschule. Erinnern Sie sich nicht?«

»Nein, an gar nichts.«

Für einen Augenblick schweigen wir beide. Sie nimmt mir die leere Tasse weg. Ich sage mit Anstrengung:

»Sagen Sie mir, Marie, hat es in meinem Leben nie ein Drama gegeben?«

»Ein Drama? Was wollen Sie damit sagen?«

Sie wendet sich verlegen ab. Lebhaft spricht sie weiter:

»Sie erinnern sich wirklich an nichts? Sie haben alles vergessen?«

»Ja.«

»Das ist aber sonderbar.«

Ich zeige mit dem Finger auf ein Porträt an der Wand. Das Porträt in einem lackierten Holzrahmen stellt einen Herrn dar, der wie ein Bauer im Sonntagsstaat aussieht. Ich frage:

»Wer ist das?«

»Ihr Vater.«

»Ist er tot?«

»Ja.«

Meine Blicke wandern zu dem zweiten Porträt, das ein Gegenstück zum ersten ist.

»Ihre Mutter«, sagt Marie.

Auch tot, ganz sicher; wenn nicht, würde sie es mir sagen.

Zwischen den beiden Porträts gibt es noch ein weiteres, ganz klein, das ich übersehen hatte. Es stellt einen kleinen Jungen oder einen jungen Mann dar, genau kann ich es nicht unterscheiden; ich muß kurzsichtig sein. Ich zeige mit dem Finger auf das Porträt. Sie sagt:

»Ihr Neffe.«

Marie ist plötzlich ganz rot geworden. Warum? Plötzlich habe ich eine Vision. Ich trete zurück und stoße einen Schrei aus. Die Vision verschwindet. Ich vergesse, was ich gesehen habe. Marie ist ganz blaß geworden. Mein Schrei hat sie erschreckt. Diese Visionen müssen aufhören, wenn ich nicht verrückt oder krank werden soll. Ich frage:

»Was wissen Sie von mir, Marie?«

Sie antwortet:

»Ich verstehe nicht.«

»Was halten die Leute von mir? Was sagt man über mich?«

Sie wendet die Augen ab; sie wirkt verlegen.

Schließlich antwortet sie:

»Jedermann achtet Sie; man schätzt Sie sehr.«

Ich fühle, daß sie mir etwas verschweigt. Ich werde diesen Punkt später aufklären. Ich fühle mich müde. Ich sage:

»Lassen Sie mich jetzt bitte allein, Marie, wollen Sie? Ich muß mich ausruhen. Das Gedächtnis wird wiederkommen.«

»Aber natürlich. Ich rate Ihnen aber, einen Doktor aufzusuchen.«

»Später, später.«

Sie zeigt auf das schmutzige Geschirr im Spülbecken.

»Das machen Sie morgen. Für den Augenblick möchte ich allein sein.«

»Sie sollten sich schlafen legen«, sagt sie.

»Ja, vielleicht.«

»Ich komme im Laufe des Tages noch einmal her, um zu sehen, ob Sie irgend etwas brauchen. Sie haben doch nichts zum Mittagessen? Es ist fast Mittag. Soll ich Ihnen etwas zu essen bringen?«

Sie öffnet das Buffet.

»Ich habe keinen Hunger.«

»Hier werden Sie wenigstens immer etwas finden. Es ist Brot da, Butter, Apfelsinen, etwas Käse.«

»Schon gut. Lassen Sie mich jetzt, Marie. Ich danke Ihnen für Ihre Gefälligkeit.«

Sie murmelt ein paar Sätze der Ermutigung und geht endlich.

Ich bin allein. Ich erhebe mich. Ich betrachte das Porträt meines Vaters, das Porträt meiner Mutter. Sie ist eine kräftige Frau; sie wirkt intelligent und herrschsüchtig; sie ist mir ähnlich. Ich betrachte das dritte Porträt, das meines Neffen: das ist nicht ein junger Mann, sondern ein kleiner Junge von acht oder zehn Jahren, schön wie ein Engel, mit reizenden Locken, mit klaren, durchdringenden Augen, die Feuer und zugleich etwas Grausamkeit verraten. Marie hat mir nicht gesagt, ob er noch am Leben ist. Nach diesem Porträt zu urteilen, muß es auf alle Fälle ein Knirps sein, mit dem man nicht leicht auskommt. Trotzdem möchte ich ihn gern sehen und mit ihm sprechen; dieses Haus ist so traurig, so verlassen, so einsam. Ein lastendes Schweigen senkt sich auf meine Schultern. Ich schüttle mich, um dieses Gefühl zu verjagen, und gehe in das Zimmer nebenan. Es ist ein Eßzimmer, mit rustikalen Möbeln aus weißem Holz. Eine Glastür geht auf einen Garten hinaus. Ich gehe hindurch und in den Garten. Er liegt brach. Überall wächst Gras, ein paar verkrüppelte Obstbäume, die willkürlich angepflanzt worden sind. In einer sonnigen Ecke blüht eine Geranie in einem Topf auf einem Tisch aus Weidengeflecht. Ich sehe auch einen kleinen Ziegelbau, der ein Schuppen oder ein Waschhaus sein muß.

Der Garten ist rechts und im Hintergrund durch Gitterpfähle begrenzt. Die rechte Seite folgt einem Feldweg; ich sehe ihn durch das Gitter. Im Hintergrund ist das grüne Land sichtbar. Links steht eine verfallene Mauer; ein Teil ist zusammengestürzt.

Plötzlich höre ich eine Stimme, die ruft:

»Jacqueline! Jacqueline!«

Jacqueline? So heiße ich doch: Jacqueline Vermot. So hat man mir in der Agentur gesagt. Bin ich es, die gerufen wird?

Ich bin mir nicht klar, woher die Stimme kommt. Ja, sie kommt von links, von dort, wo die halb eingestürzte Mauer steht. Ich gehe auf die Lücke in der Mauer zu und blicke hindurch. Ich sehe einen Friedhof, voller Gräber. Ich erschaudere. Ich habe es nicht gern, daß so nahe meinem Wohnhaus ein Friedhof liegt. Vielleicht sind meine Eltern dort begraben. Dann muß es bequem sein, ihre Gräber zu pflegen.

»Jacqueline!«

Wer ruft mich?

Auf der Friedhofsallee mir gegenüber sehe ich eine etwas dicke Frau, mit weißen Haaren. Das ist das lebende Porträt meiner Mutter, das ich in der Küche an der Wand gesehen habe.

Hat mir Marie nicht gesagt, daß meine Mutter nicht gestorben ist? Aber nein, sie hat es nicht ausdrücklich gesagt. Ich war es, die es geglaubt hat . . .

»Jacqueline, hol mir die Schere, damit ich den Rosenstock auf Vaters Grab stutzen kann.«

Ich sage einfältig:

»Was für eine Schere?«

»Sie liegt im Schubfach des Tisches in der Waschküche. – Was ist mit dir? – Hol mir die Schere, geh! Ich bin schon ganz schwach auf den Beinen. Ach, ich werde alt.«

Ich sage, ohne mich zu rühren: »Ja, Mama.«

Es scheint mir sonderbar, ›Mama‹ zu einer Frau zu sagen, die ich das erste Mal sehe. Sie ruft:

»Mama? Du nennst mich nicht ›Foufouille‹? Da ist doch etwas los?«

Foufouille? Ja, so habe ich doch meine Mutter immer gerufen. Das ist eine Gewohnheit von Kindheit an. Ich weiß es, ich fühle es. Wenigstens diese Erinnerung kommt mit aller Gewalt zurück. Foufouille! Ja, das ist sie! Ich erkenne sie wieder. Das ist meine Mutter.

Sie sieht mich neugierig an. Sie sagt:

»Aber was hast du denn? Was ist denn los?«

Ich antworte:

»Ach, wenn du wüßtest, Mama, ich will sagen Foufouille, ich habe das Gedächtnis verloren.«

Ich erkläre ihr alles, was mit mir von dem Augenblick an geschehen ist, als ich auf der Straße der Stadt zu mir gekommen bin. Ich breche in Tränen aus, ich strecke die Arme aus, damit sie mich tröstet.

Sie stößt mich zurück.

»Was sollen diese Geschichten? Du hast einen schlechten Traum gehabt, das ist alles. Habe ich nicht schon genug Ärger? Muß ich mich auch noch mit diesem albernen Gerede abgeben? Geh schnell und hol mir die Schere. Ich verspäte mich schon mit dem Mittagessen.«

In diesem Augenblick höre ich eine durchdringende Stimme, eine Kinderstimme, die ruft:

»Mammi, Tantine!«

Ich blicke zum Haus hinauf und sehe einen kleinen Jungen (es ist mein Neffe, das Porträt an der Wand, ich erkenne ihn wieder) da oben im Schlafanzug, auf dem Fensterbrett im ersten Stockwerk des Hauses.

»Da ist doch Nizou, er ist aufgewacht«, sagt Foufouille. Ich rufe:

»Aber das Kind fällt doch herunter. Er steht draußen auf dem Fensterbrett. Er wird . . .«

Als Foufouille das hört, stürzt sie vorwärts. Sie kommt durch die Mauerlücke zu mir in den Garten. Sie seufzt:

»Dieses Kind ist noch mein Tod. Oh, dieser Bengel! Oh, dieser Spitzbube! Man hat doch nicht eine Minute Ruhe mit diesem Teufel!«

Sie sieht zu Nizou hinauf, sie macht ihm Vorwürfe; sie schreit ihm zu, daß er fallen wird; sie befiehlt ihm, in das Zimmer zurückzugehen. Er hört nicht auf sie. Er lacht. Er beugt sich noch mehr nach vorn.

»Schnell, laufen wir«, sagt Foufouille. »Er muß eine Tracht Prügel bekommen!«

Foufouille stürzt in das Haus. Ich folge ihr. Wir laufen die Treppe hoch. Meine Mutter erwischt Nizou am Arm und legt ihn auf das Parkett des Zimmers. Er entwischt ihr. Er läuft durch das Zimmer, und Foufouille verfolgt ihn. Jetzt hat sie ihn erwischt und hält ihn fest. Er schreit:

»Slimme Mammi! Slimme Mammi!«

Auf dem Sofa sitzend, legt sie ihn übers Knie und beginnt ihm seine Schlafanzughose auszuziehen. Jetzt ist er nackt.

»Wir werden ihm eine Abreibung verpassen, auf den blanken Hintern. Wenn wir ihm alles durchgehen lassen, wird uns dieser kleine Teufel noch mit Haut und Haaren auffressen.«

Sie verpaßt ihm einen Schlag nach dem anderen auf seinen Hintern, der ganz rot wird. Plötzlich stößt Foufouille einen Schmerzensschrei aus. Das Kind hat sie in den Arm gebissen, mit aller Kraft. Foufouille heult.

»Ah, so machst du es also? Ah, so machst du es? Nun, du wirst schon sehen.«

Sie schlägt im Takt, mit doppelter Kraft, und jetzt mit dem Kopf des Kindes unter ihrem Arm.

»Schnell, Jacqueline. Hol mir die Klopfpeitsche von unten. Die Hand tut mir weh.«

Ich betrachte den kleinen Hintern des Kindes, der rot ist wie eine Tomate. Meine Mutter wird ungeduldig:

»Jacqueline, die Klopfpeitsche! Die Hand tut mir weh.«

Ich sage: »Ja, ja, ich gehe schon.«

Mich schüttelt das Lachen, während ich hinausgehe. Ich finde meinen Neffen süß, auch wenn er so ungezogen ist. Ich bin voller Zärtlichkeit für ihn. Foufouille übertreibt es vielleicht etwas? Pah! Das schadet ihm gar nichts, wenn er etwas durchgewalkt wird: das ist ganz gut für den Blutkreislauf. In diesem Alter ist eine Tracht Prügel nicht schlimm.

Vor mich hinsummend gehe ich die Treppe hinunter. Mein Kummer verfliegt allmählich. Ich bin glücklich, zu wissen, daß ich nicht allein in diesem Haus bin. Ich habe eine Mama, und vom Himmel fällt wie eine Liebe ein hübscher Neffe herunter. Ich gewinne wieder Geschmack am Leben. Ich lebe intensiv.

Ich gehe in die Küche. Wo ist diese Klopfpeitsche? Sie hängt an einem Kleiderhaken am Eingang. Ich nehme sie herunter. Es läutet. Die Glocke an der Eingangstür, an der heftig gezogen wird, macht einen furchtbaren Lärm. Die Tür öffnet sich, noch bevor ich ›Herein!‹ rufen kann. Ich sehe Marie in Gesellschaft von fünf oder sechs Dorfbewohnerinnen. Sie sagt:

»Bitte entschuldigen Sie. Diese Damen, denen ich gesagt habe, daß Sie leidend sind, möchten Sie besuchen.«

Ich sehe Marie vorwurfsvoll an. Sie muß überall geschwatzt haben, daß ich das Gedächtnis verloren habe. Das ganze Dorf kommt zusammen. Man wird mich wie ein seltenes Tier bestaunen. Habe ich diese Leute nötig? Übrigens fühle ich mich jetzt wohl. Ich brauche niemanden. Ich sage:

»Ich stehe Ihnen sofort zur Verfügung. Ich komme gleich wieder herunter. Ich möchte nur diese Klopfpeitsche meiner Mutter hinaufbringen. Sie braucht sie, um meinen kleinen Neffen zu bestrafen. Er war ungezogen.«

Marie zeigt eine verstörte Miene. Sie bekreuzigt sich mehrfach. Sie sagt:

»Jesus, Maria und Joseph, mein armes Fräulein! Es ist schon lange her, seitdem Ihre Frau Mutter gestorben und begraben ist. Und was Ihren Neffen betrifft, ob er noch lebt, das weiß der Himmel! Aber er ist schon lange über das Alter hinaus, in dem man geschlagen wird!«

Was sagt sie da? Die Klopfpeitsche gleitet mir aus der Hand und fällt auf den Fußboden. Mit einem heiseren Schrei drehe ich mich um, stürme die Treppe hinauf. Ich betrete das Zimmer: Es ist leer.

Ich durchsuche das ganze Stockwerk; niemand ist da. Das Haus ist still wie ein Grab. Sprachlos komme ich wieder in den Flur zurück. Unten unterhalten sich gedämpfte Stimmen, salbadern.

Zu Hilfe!

Ich lege die Hände an die Schläfen.

Ich stoße einen schrecklichen, nicht endenwollenden Schrei aus und falle der Länge nach auf den Fußboden.

Was ist mit mir? frage ich entsetzt.

3

Ich bin in meinem Bett wieder aufgewacht. Marie hatte mich aufgehoben, zusammen mit den Nachbarinnen. Sie suchten mich, als sie merkten, daß ich nicht wieder herunterkam. Ich habe eine lange Nervenkrankheit durchgemacht. Viele Leute haben mich besucht. Der Arzt hat mir Beruhigungsmittel gegeben, weil ich nicht aufgehört habe, mich schreiend hin und her zu wälzen. Man hat ihn aus der Stadt kommen lassen, denn hier im Dorf ist kein Arzt. Marie hat mich aufopfernd gepflegt. Sie hat mir gesagt, es sei das erste Mal in meinem Leben, daß ich krank bin und mich ein Doktor besucht.

Der Arzt hat mir Fragen gestellt. Ich habe ihm gesagt, daß ich das Gedächtnis verloren und mich auf einer Straße der Stadt wiedergefunden habe, ohne zu wissen warum oder wie; daß eine Agentur mich nach Hause bringen ließ, nachdem sie meine Anschrift herausgefunden hatte; und daß ich, kaum zurückgekehrt, eine Vision gehabt habe, in der ich meine Mutter *lebend* sah, obwohl sie doch lange tot ist.

Während ich ihm all das erzählte, hat mich ein irrsinniger Schrecken gepackt. Ich habe mich an seine Jacke geklammert und geschrien:

»Warum, Doktor, warum habe ich das Gedächtnis verloren? Warum stehen die Toten auf, um zu mir zu kommen?«

Er hat mir geantwortet:

»Sie haben sicher einen Schock erlitten, der Ihre Erinnerungen ausgelöscht hat. Diese Halluzination ist die Folge einer Anstrengung Ihres Gehirns, sich der Vergangenheit wieder bewußt zu werden. An dem Tag, an dem Sie sich an das Ereignis erinnern werden, das diesen Schock verursacht hat, von dem ich spreche, wird Ihre psychische Gesundheit wiederhergestellt sein. Also, quälen Sie sich nicht damit. Wenn es Ihnen gelingt, ruhig zu bleiben, wird Ihnen nichts geschehen. Wenn Sie aber völlig den Kopf verlieren, dann werden Sie noch ernstlich krank. Für den Augenblick brauchen Sie viel Ruhe.«

Einen Monat lang bin ich im Bett gelegen. Ich habe Schlafmittel genommen. Als der Arzt meinte, daß es mir besser ginge, hat er eine Analyse versucht, aber es ist nichts dabei herausgekommen, weil ich nicht die geringste Erinnerung an die Vergangenheit hatte. Ich erinnere mich nur an das, was mit mir seit meinem Erwachen auf der Straße und dem Gang zur Agentur A. V. geschehen ist.

Heute ist Sonntag.

Dieses Dorf hat keine eigene Kirche. Die Pfarrgemeinde gehört zu einem Nachbardorf. Um dorthin zu kommen, müssen die Leute an meinem Haus vorbeigehen. Ich beobachte sie, wie sie vorübergehen; blicke aus meinem Küchenfenster. Marie zeigt sie mir, einen nach dem anderen: Sie sagt mir ihre Namen, ihren Beruf und erzählt mir die Gerüchte, die über jedermann im Umlauf sind. Der Klatsch amüsiert mich für den Augenblick, und ich bin zufrieden, weil ich nach und nach das ganze Dorf kennenlerne. Aber in Wirklichkeit interessieren mich diese Leute nicht. Ich möchte etwas über diejenigen Menschen erfahren, mit denen ich in Berührung komme und die eine Rolle in meiner Vergangenheit gespielt haben. Ich frage geradeheraus:

»Marie, weiß man, was aus meinem Neffen geworden ist?«

Sie wird rot. Sie sieht sehr verlegen aus. Es ist das erste Mal, daß ich sie zu diesem Punkt nach meiner Genesung frage. Sie antwortet:

»Ihr Neffe? – Zunächst einmal, er war nicht wirklich Ihr Neffe.«

»Ach! Nein?«

»Sie und Ihre Mutter haben ihn aufgezogen, aber er war durchaus nicht Ihr Verwandter.«

»Und wer waren seine Eltern?«

»Es waren Leute in der Stadt, Freunde Ihres Herrn Vater. Sie waren beide gelähmt, und sie konnten Herrn Denis, der ein schwieriges Kind war, nicht aufziehen. Sie steckten ihn in verschiedene Internate, aber kein Schuldirektor wollte ihn behalten, weil sein Charakter unmöglich war. Schließlich haben Sie und Ihre Mutter sich bereit gefunden, ihn zu übernehmen. Die Eltern des Kindes waren reiche Leute, die Sie gut bezahlt haben. Als Denis großjährig wurde, starben seine Eltern, und er hat ihr Vermögen geerbt. Dann hat er Sie verlassen, denn Ihre Mutter starb um diese Zeit.«

Ich frage:

»Wie alt kann er jetzt sein?«

»Ich denke, er müßte zweiundzwanzig oder dreiundzwanzig sein. Er ist ein großer junger Mann.«

»Weiß man, wohin er gegangen ist?«

»Nein. Er ist eines Tages verschwunden, und man hat ihn nicht mehr wiedergesehen. Ach! Es ist Zeit, daß ich zur Messe gehe.«

Ich hätte ihr gern noch viele weitere Fragen gestellt, aber ich getraue mir nicht, sie zurückzuhalten, und ich sehe auch ein, daß meine Fragen sie belästigen. Ich fühle mich zu schwach, um sie zur Kirche zu begleiten. Übrigens hat sie mir gesagt, daß ich selten oder überhaupt nicht dahin gehe.

Wenn ich allein bin, durchstöbere ich das Haus von oben bis unten. Auf dem Dachboden öffne ich eine alte Truhe mit alten Sachen und entzweigegangenem Spielzeug. Dabei mache ich eine sensationelle Entdeckung: ein riesiger Stoß von Blättern, von mir selber beschrieben. Der Titel lautet:

TAGEBUCH MEINES LEBENS
von Jacqueline Vermot

Ich mache es mir in einem wackeligen Sofa bequem und schicke mich an, in meiner Vergangenheit zu stöbern, sie zu entdecken. Endlich werde ich es wissen . . . Ich vertiefe mich mit Wonne in die Lektüre. Ich lese laut. Das ist es nun, was ich lese:

Heute hat es vor Sonnenuntergang geläutet. Ich bin zur Tür gegangen, habe sie geöffnet, aber nichts gesehen. Aber ich habe es doch läuten gehört! Leide ich an Halluzinationen? Ich wollte schon wieder ins Haus gehen, als ich schwache Stockschläge an meinem linken Bein fühlte. Ich blicke nach unten und entdecke einen winzigen Knirps, der mich anguckt. Ich bin bestürzt durch seinen Blick, der mich geradezu zu durchbohren scheint. Ich habe noch nie solche Augen gesehen: wie

zwei feurige Kohlen. Er ist ganz allein. Wie hat er es fertiggebracht, zu läuten? Er muß ja in die Luft gesprungen sein, um
den Griff der Glocke zu erreichen. Es sei denn, ein Vorüber-
gehender hat für ihn geläutet. Er hält einen Brief in der Hand.
Er gibt ihn mir. Ich nehme den Brief. Ich sage:
»Ist das für mich? Bist du der Briefträger?«

Keine Antwort. Ich sehe meinen Namen, meine Anschrift
auf dem Briefumschlag; keine Briefmarke. Ich öffne den
Brief. Ich lese: ›Meine liebe Jacqueline, mein Mann liegt im
Sterben. Auch ich habe nicht mehr lange zu leben. Wir gehen
alle beide unserem Ende entgegen, vor Erschöpfung. Wegen
unserer seelischen Leiden. Dieses Kind, unser Sohn, hat uns
umgebracht. Ich schicke ihn Euch, wie vereinbart. Ich bin
sehr schwach, aber noch kann ich leserlich schreiben. Nizou
(Denis), unser Kind . . . wir haben ihn zu sehr verwöhnt
(einziger Sohn, er ist zu spät gekommen) . . . aber trotz allem,
er ist so geboren: wild, unbezähmbar. Und wir beide sind so
ruhig! Von wem hat er das nur? Mein Onkel Paul, scheint
es, war bösartig. Geheimnis der Vererbung . . .‹

Ich unterbreche meine Lektüre. Ich blicke auf das Kind
hinunter. Ich studiere es genau. Unbezähmbar? Es hat ein al-
lerliebstes Gesicht, rund, glatte Haut, mit goldblonden Lok-
ken, ein Wunder. Die Lippen sind dünn, zusammengepreßt,
wie nach innen gekehrt: Zeichen eines schlechten Charak-
ters? Die Augen sind wie flammende Karfunkelsteine. Wie
intelligent er aussieht! Er lächelt nicht. Er wirft mir seine
Blicke zu, als wollte er mich hypnotisieren. Ah! Er inspiziert
mich, er studiert mich. Seine Nasenflügel beben. Ich habe
fast Angst. Seine Fäuste sind geballt. Sein gesamter kleiner
Körper ist wie eine gespannte Feder. Man fühlt, daß er im Begriff ist, sich mit einem Schlag zu entspannen. Ich nehme
meine Lektüre wieder auf:

›Eure Aufgabe wird enorm sein. Das Kind ist unmöglich,
ein Teufel (das sage ich als Mutter, daran könnt Ihr es beur-
teilen!). Züchtigt ihn, wenn es sein muß, aber ach, liebt ihn
trotzdem. Erzieht ihn, macht einen Mann aus ihm.‹

Darunter eine Unterschrift, ein Name, den ich nicht kannte. Dann eine Nachschrift:

›Ich wende mich besonders an Dich, Jacqueline, weil Du noch jung bist. Deine Mutter ist eine tatkräftige Frau, aber sie wird alt. Aber Du wirst es können, ganz allein . . . Noch besser, verheirate Dich. Es braucht die starke Hand eines Mannes, um Nizou zu zähmen. Er ist gestern acht Jahre alt geworden. Für ihn, für uns, Dank, Dank!‹

Ich falte den Brief zusammen und stecke ihn in meine Rocktasche. Ich frage das Kind:

»Bist du allein gekommen? Hat dich niemand begleitet?«

Er antwortet nicht. Das interessiert ihn nicht. Er streckt die Arme aus. Was will er? Ah, er will, daß ich ihn küsse. Wie konnte ich daran nicht denken? Ich fasse ihn unter den Achseln und hebe ihn lachend hoch. Sofort verwandelt er sich in eine indische Göttin voller Arme und Beine – und Küssen. Ich fühle seine Arme überall, um meinen Hals, auf meinem Kopf, in meinem Rücken, auf meinen Schultern. Seine Beine zappeln und versetzen mir Fußtritte in den Bauch, in die Seiten, überall. Sein Mund saugt an mir ohne Unterlaß, mit einer Geschwindigkeit und einem Feuer, wie es nicht vorstellbar ist, an den Wangen, der Nase, der Stirn, dem Mund, dem Hals. Es kommt mir vor, als ob ich eine elektrische Batterie in voller Entladung in den Armen halte. Dieses Kind ist ja rasend. Wie lange soll das noch dauern? Wird er endlich aufhören? Nein, er macht weiter. Nun aber genug! Ich versuche, ihn an den Armen zu fassen, um ihn auf den Boden zu setzen. Aber ich kann seine Umklammerung nicht lösen, denn er hat seine Arme um meinen Hals geschlungen. Ich ziehe, ich ziehe; nichts zu machen. Was für eine Kraft steckt in dieser Mücke! Ich werde ihm weh tun müssen, um ihn zu zwingen, loszulassen. Ich rufe:

»Nun ist es genug. Geh runter!«

Er achtet nicht auf das, was ich sage. Er ist mit mir verbunden und verschlingt mich. Seine Fußstöße tun mir weh. Schließlich ziehe ich wütend mit aller Kraft an seinen Armen.

*Ich höre einen Knochen knacken. Ein lauter Schrei: Er ist es,
der ihn ausgestoßen hat. Ich setze ihn grob auf den Boden.
Ich sage zu ihm:*

»*Habe ich dir weh getan? Das geschieht dir ganz recht.
Man muß lernen, zu gehorchen.*«

*Man muß seine Blicke sehen: flammender Haß. Seine
Fäuste krampfen sich zusammen, sein Körper bäumt sich
auf, und sein Blick schießt zu mir hoch. Und plötzlich öffnet
sich sein Mund und kreischt. Was für ein lautes Organ bei
diesem Steppke! Er schreit:*

»*Slimme Tantine! Slimme Tantine!*«

Slimm, das soll heißen ›*schlimm*‹. *Aber warum nennt er
mich* ›*Tantine*‹? *Seine Mutter muß ihm gesagt haben, mich
so zu nennen. Er sagt* ›*slimme Tantine*‹ *fünf Minuten lang.
Ich glaube, er würde es, wenn nötig, den ganzen Tag, die
ganze Nacht sagen, um mich zu strafen. Gleichzeitig macht
er ein glückliches Gesicht, als ob das ein herrliches Spiel
wäre, denn die Winkel seines Mundes lächeln. Dieses Kind
spielt. Das ist seine Art zu spielen, die Erwachsenen in Wut
zu versetzen. Wütend gebe ich ihm eine Ohrfeige und packe
ihn, um ihn hereinzubringen. Er beugt sich über meine Hand
und beißt in grausamer Weise hinein. Ich stoße einen entsetzten Schrei aus. Er benutzt meine Verwirrung, um zu ent-
kommen. Er flieht ins Eßzimmer und von da in den Garten.
In diesem Augenblick läutet es. Ich zögere; schließlich kehre
ich in die Küche zurück, deren Tür offen geblieben ist. Ich
sehe einen Mann, der einen aufgeregten Eindruck macht. Er
fragt:*

»*Fräulein Vermot?*«

»*Ja, das bin ich.*«

»*Ich bin Ernst.*«

*Er erklärt mir, daß er Diener bei den Eltern von Nizou ist;
er sagt, daß ihm dieser beim Verlassen des Bahnhofes entwischt sei, nachdem er ihm heimlich den Brief weggenommen
hat, den er in der Hand hielt. Ich sage:*

»*Er ist da.*«

»Ah!«

Man sieht ihm die Erleichterung an.

Ich frage:

»Wie hat er es nur fertiggebracht, das Haus ganz allein zu finden?«

»Er muß die Passanten gefragt haben. Das ist ein Dämon. Diese Reise auf der Eisenbahn . . . lieber bin ich zehn Tage lang in der Hölle. Er hat das ganze Abteil in Aufruhr versetzt. Er ist mindestens hundertmal zur Tür gerannt, um mich zu ›bestrafen‹. Ich wünsche Ihnen, mein Fräulein, viel Vergnügen mit diesem Ungeheuer.«

»Kommen Sie doch herein«, sage ich lächelnd zu ihm. »Ruhen Sie sich etwas aus.«

»Das lehne ich nicht ab. Wo ist er denn?«

»Er ist in den Garten geflohen. Vielleicht sollte man ihn suchen?«

Wir gehen in den Garten. Wir finden Foufouille. Sie füttert gerade die Hühner. Ich frage sie, ob sie nicht einen kleinen Jungen gesehen hat. Sie sagt, daß ihr nichts aufgefallen sei. Ich sage ihr, daß Nizou soeben angekommen ist und daß er sich im Garten versteckt. Zunächst ist sie verblüfft, dann sagt sie:

»Also dann los!«

Ich sehe Nizou von weitem, der sich halb hinter einem Fliederbusch hinten im Garten verbirgt. Ich sage leise:

»Er ist da drüben.«

Wir entwerfen einen Plan. Wir trennen uns. Foufouille geht von der einen Seite um den Busch herum, ich von der anderen. Nizou entwischt, wie vorausgesehen, und wir treiben ihn direkt Ernst in die Arme, der plötzlich hinter einem Baum auftaucht. Unsere Taktik wird von einem vollen Erfolg gekrönt. Nizou landet in den Armen von Ernst. Er macht sich aber los; er schlägt um sich, während sein Mund pausenlos schreit:

»Slimmer Ernst, slimmer Ernst!«

Alle Welt ist ›slimm‹, er ausgenommen.

Foufouille kommt, faßt das heulende Elend in der Mitte

und wird gebissen. Auch sie schreit nun, hält aber stand. Sie
umschlingt mit einem Arm unerbittlich Nizous Beine, damit
sie nicht länger zappeln können, und trägt das Bündel ins
Haus, die Füße nach vorn, den Kopf nach hinten, mit ihrem
drallen Arm wie mit einem Schraubstock den kleinen Hals
umklammernd, aus dem ein Röcheln wie von einem dringt,
der erwürgt wird.

Ich unterbreche meine Lektüre. Denn in diesem Augenblick
kommt es mir vor, als wenn ich ein unterdrücktes Lachen
hörte, begleitet von einem Scharren hinter mir. Erschreckt
drehe ich mich um. Da ist eine Tür, die vielleicht auf einen
hinteren Dachboden oder eine Rumpelkammer hinausgeht
oder auch in einen Wandschrank. Diese Tür ist halb offen.
Durch den Spalt der Tür sehe ich ein paar Kartons. Ich
rufe:
»Ist da jemand?«
Schweigen, keine Antwort. Ich zucke die Achseln. Wer
weiß, was ich da gehört habe. Ich vertiefe mich wieder in
mein Manuskript:

Jetzt haben wir Nizou seit drei Monaten bei uns. Er wird im-
mer ungezogener. Ich weiß nicht, ob wir ihn noch bändigen
können. Heute hat er uns mächtig angst gemacht. Als wir im
Garten waren, Foufouille und ich, hat er sich über das äußere
Fensterbrett des Fensters im ersten Stock gebeugt und uns
gerufen. Er hat sich so weit nach draußen gebeugt, wie er nur
konnte. Kopflos sind wir nach oben gerannt. Foufouille hat
ihn noch erwischt und ihm eine Tracht Prügel verabreicht. Er
hat sie gebissen. Foufouille schreit:
»Schnell, Jacqueline. Hol mir die Klopfpeitsche von unten.
Die Hand tut mir weh. Wir werden ihm eine Abreibung ver-
passen, auf den blanken Hintern. Wenn wir ihm alles durch-
gehen lassen, wird uns dieser kleine Teufel noch mit Haut
und Haaren auffressen.«
Sie hat sich aufs Sofa gesetzt und, ohne Nizou loszulassen,

fängt sie an, ihm die Hose von seinem Schlafanzug auszuzie-
hen. Er bringt es fertig, sie wieder zu beißen. Dann schlägt
sie ihn mit doppelter Kraft mit der Hand. Ich sehe mir diesen
hübschen kleinen Hintern des Kindes an, der ganz rot wird.
Foufouille wird ungeduldig.

   »Jacqueline, die Klopfpeitsche! Die Hand tut mir weh.«
   Ja, ja, ich geh' ja schon.

Ich unterbreche meine Lektüre. Ich zittere vom Kopf bis zu
den Füßen. Das ist genau die Szene der Vision, die ich bei
meiner Ankunft hier hatte. Hier habe ich meine Halluzination schriftlich in meinem Tagebuch. Ich blättere um, mit
fliegenden Fingern. Ich lese eine andere Stelle. Ich lese mit
Begierde.

Heute haben wir Nizou gebadet. Was für ein Drama! Er hat
sich gesträubt, sich an uns wie ein Rasender geklammert, auf
das Wasser gepatscht: Wir waren durchnäßt von oben bis
unten. Wir haben ihn geschlagen. Er hat geheult und ist
schließlich vor Wut ohnmächtig geworden. Wir haben die
Gelegenheit benutzt, um ihn abzutrocknen, feinzumachen,
einzureiben, zu pudern, ihn zu kämmen und schließlich wie-
der anzukleiden wie eine Puppe. Dann haben wir Angst ge-
habt, weil er nicht wieder zu sich kam. Ich habe die Idee ge-
habt, ihn an einer Essigflasche riechen zu lassen. Er hat die
Augen aufgemacht, dann den Mund. Aber bevor er Zeit
hatte, zu schreien, habe ich ihm ein Löffelchen voll Konfitüre
in den Mund gesteckt.

Ich unterbreche meine Lektüre und rufe hingerissen:
   »Dieses Kind ist großartig!«
Wieder vertiefe ich mich in das Manuskript, um die Fort-
setzung zu lesen. Plötzlich höre ich hinter mir lautes Geläch-
ter. Ich erhebe mich, wende mich um. Da höre ich klar das
Wort:
   »Jacqueline!«

Ich bin starr vor Entsetzen. Ich fühle, wie sich meine Augen weiten. Ich rufe:

»Wer ist da?«

Die Tür zu dem Nebengelaß öffnet sich langsam.

4

Ich sehe einen Fremden, einen Unbekannten. Es ist ein schöner junger Mann mit schwarzen, feurigen Augen, die sich auf mich richten.

Ich sage stammelnd:

»Wer . . . wer sind Sie? Was machen Sie hier?«

Der Fremde bricht in Gelächter aus, dann sagt er:

»Nun einmal ernst!«

Für einen Augenblick schweigt er, dann fährt er fort:

»Ich war mir ganz sicher, daß ich dich hier finden würde, am Koffer mit den Erinnerungen. Ich bin heute morgen angekommen, während du fort warst, um auf den Markt zu gehen. Man könnte glauben, daß es dir keine Freude macht, mich wiederzusehen. Das wäre wohl das erste Mal.«

Für einen Moment bin ich unfähig zu sprechen. Schließlich finde ich meine Stimme wieder. Ich sage:

»Aber ich kenne Sie doch gar nicht. Wer sind Sie?«

Mühsam setze ich hinzu:

»Es gibt nichts zu stehlen hier.«

Er stimmt ein brüllendes Gelächter an.

»Tantine, ich glaube, du machst dich über mich lustig. Das sieht dir doch sonst nicht ähnlich.«

Ich schreie:

»Tantine? . . . Sie sind Nizou?«

Er antwortet:

»Und wie!«

Verblüfft suche ich nach Worten. Ich weiß nichts zu sagen. Ich sage stammelnd:

»Sie . . . Ich . . .«

Er sagt mit herrischer Stimme:

»Sag du zu mir.«

»Sie . . .«

»*Du*.«

»Wie bist du hereingekommen? Ich hatte die Tür unten zugeschlossen.«

»Ich habe doch den Schlüssel.«

»Woher kommst du?«

»Ich komme von der Reise zurück.«

Er fragt mich, warum ich ihn so mit Grauen ansehe. Ich sage ihm, daß ich das Gedächtnis verloren habe, daß ich niemanden wiedererkenne. Und ich erzähle ihm alles, was mir passiert ist: die Straße, die Agentur A. V., meine Ankunft hier, meine Halluzination, meine Krankheit. Das bringt ihn zum Lachen. Er glaubt mir nicht. Er glaubt, daß ich mich über ihn lustig mache. Aber ich erkläre es ihm noch einmal. Schließlich begreift er, daß die Angelegenheit ernst ist. Er setzt sich auf das Sofa und sagt:

»Also so ist es!«

Er betrachtet mich lange Zeit, ohne etwas zu sagen. Ich betrachte ihn. Gott, wie schön er ist. Er hat das Haupt eines griechischen Gottes, mit blonden Locken, schwarzen, ausdrucksvollen Augen, eine samtartige Haut von goldenem Braun, einen athletischen Oberkörper, vollkommene Hände. Er ist mit einer Hose und einem Pullover bekleidet. Sein ganzer Körper ist eine harmonische Einheit, die mich mächtig anzieht. Ich bin stolz auf ihn. Ich bin bewegt. Ich lächle ihm zärtlich zu. Ich fühle mich durch seine Gegenwart wieder stark.

Er öffnet den Mund. Er spricht. Er hat prachtvolle Zähne von einem blendenden Weiß. Er sagt:

»Nun gut, machen wir weiter.«

Ich frage:

»Was?«

Er hebt mein Tagebuch auf und reicht es mir.

»Lies das. Lesen wir es zusammen. Vertief dich hinein. Dann wirst du wissen . . .«

Ich nehme das Buch mit zitternder Hand. Plötzlich entreißt er mir das Buch wieder und schleudert es in die Ecke des Dachbodens.

Er sagt:

»Das alles, das ist Literatur, Worte . . . Was sollen die vielen Seiten nützen? Ich kann dich die Wirklichkeit lehren, und das ohne viele Worte.«

Er geht auf und ab. Man könnte sagen, daß er nach Worten für den Anfang sucht. Endlich pflanzt er sich vor mir auf, die Hände in den Hosentaschen vergraben, und sagt mit höhnischer Miene:

»Du weißt natürlich, daß du mich liebst?«

Ich sage:

»Wie?«

Er setzt hinzu:

»Das ist *deine* Strafe.«

»Meine Strafe?«

Ich verstehe nicht. Er fährt fort:

»Ihr habt mich genug geprügelt, du und deine Mutter, unter dem Vorwand, daß ich ›unbezähmbar‹ wäre.«

Er sieht mich mit bösem Gesicht an. Plötzlich stürzt er nach hinten, hebt mein Tagebuch auf, blättert es wütend durch. Er sagt:

»Nun hör einmal gut zu:

Heute haben wir Nizou, der nicht artig war, den Hintern versohlt.

Und weiter:

Heute haben wir Nizou die Klopfpeitsche zu kosten gegeben, wir haben ihn im Wandschrank eingeschlossen und ihn den ganzen Tag bei trockenem Brot dringelassen.

Und dieses:

Heute haben wir Nizou ausgepeitscht und ihn am Fuß des Bettes festgebunden.

Gepeitscht, geschlagen, den Hintern versohlt, bestraft,

das ist ein Leitmotiv, das auf jeder Seite deines Tagebuches wiederkehrt. Das war dein großes Vergnügen, mich zu schlagen; ein sinnliches, ein lasterhaftes Vergnügen.«

Ich protestiere:

»Man *mußte* dich strafen, wenn du nicht artig warst. Das war nur zu deinen Gunsten.«

Er grinst:

»Ich weiß schon! So sagt man. Es geschah aber zu deinem perversen Vergnügen, wenn du mich geschlagen hast. Hör zu:

Ich habe Nizou mit der Hand auf seinen kleinen Hintern geschlagen. Das hat mir Spaß gemacht.

Hier steht es schwarz auf weiß: ›Das hat mir Spaß gemacht.‹ Und da:

Wir haben ihm seine Hose ausgezogen und ihm abwechselnd eine Tracht Prügel verabreicht.

Und da:

Heute haben wir Nizou gebadet. Was für ein Drama! . . .

Ach, das hast du ja gerade gelesen, als ich dich durch mein Lachen unterbrach, und dann hast du nicht weiter gelesen. Aber es geht nett weiter! Hör zu:

Es hat mich doch sehr berührt, diesen ganz nackten Körper zu sehen. Wie schön er ist! Ich, der ich mir keinen Mann nackt vorstellen kann, ohne zu lachen, ich hätte beinahe geweint vor Glück. Und was noch mehr sagt, ich habe ihn betastet, mit Wonne geküßt. Foufouille ist damit wie mit einem Bettuch oder einem Wäschesack umgegangen . . .

Plötzlich habe ich den Mann erfaßt, von dem ich immer geträumt habe: schön, von einem unzähmbaren Willen, wie Nizou. Habe ich die Seele eines Straßenmädchens? Trotzdem würde es mir nicht gefallen, geschlagen zu werden. Ich habe versucht, mir den kleinen Körper Nizous größer vorzustellen, ihm die Größe eines Mannes zu geben. Aber es ist mir nicht ganz gelungen. Das Bild ist verschwommen. Ich zögere . . .«

Er unterbricht sich, schleudert das Manuskript mit einem

Fußtritt in die andere Ecke, stellt sich vor mich hin und grinst:

»Nun gut, du siehst mich jetzt in Mannesgröße. Was hältst du davon? Gefalle ich dir? Willst du, daß ich mich ausziehe?«

Ich bedecke mein Gesicht mit den Händen. Ich schäme mich.

Er fährt fort:

»Du kannst ruhig die Schamhafte spielen. So hat doch deine Liebe angefangen: mich mit Gewalt auszuziehen, um mich zu baden oder zu schlagen. Später habe ich diesen Manneskörper gehabt, von dem du träumtest. Nun, was man gesehen hat, hat man gesehen. Das ist doch wahr, Alte? Aber ich vergaß, daß du das Gedächtnis verloren hast.«

Ich weiche zurück und stoße einen Schrei aus. *Alte!* Ich fühle mich durch dieses Wort zutiefst getroffen.

Er bleibt für einen Augenblick in seinen Erinnerungen versunken, ohne ein Wort zu sagen.

Dann spricht er weiter:

»An deiner Mutter habe ich mich gerächt, und wie! Eines Tages habe ich im Keller einen Strick ausgespannt. Beim Hinuntersteigen ist sie über den Strick gestolpert, sie ist die Treppe hinuntergepurzelt und hat sich ein Bein gebrochen. Man hat sie behandelt; eine Operation war nötig; das Herz hat versagt. Sie ist gestorben. Man hat sie zum Friedhof getragen.«

Er singt halblaut vor sich hin:

»Zum Friied . . . hoof.«

Er bricht in Gelächter aus. Ich schreie entrüstet:

»Ungeheuer! Ungeheuer!«

Er wischt dieses Wort mit einer Handbewegung hinweg. Er erzählt weiter:

»Danach hast du mich in eine Erziehungsanstalt gesteckt, im Einverständnis mit meinen Eltern. Dort habe ich zu leiden gehabt. Als ich aber herauskam, habe ich mich an dir gerächt. Unterdessen war ich großjährig geworden. Meine Eltern haben mir eine Unterstützung gewährt, und ich bin als Schüler in eine Zeichenschule eingetreten, weil ich dafür begabt war. Die Unterstützung war knapp, weil die Alten Angst hatten, daß ich ein ausschweifendes Leben führte, wenn ich zuviel Geld hätte. Es reichte gerade, um meine Bude und mein Essen zu bezahlen. Aber du, du hast mir mit deinem Geld ausgeholfen. In dieser Hinsicht habe ich mich nicht zu beklagen. Aber das war Eigennutz von dir: Du wolltest mich dazu bringen, daß ich dich besuche. Du wolltest mich kaufen wie einen Gigolo. Dann sind meine Eltern gestorben. Ich habe geerbt. Ich habe flott gelebt. Aber von Zeit zu Zeit habe ich dich besucht, um dich leiden zu lassen, damit du mich nicht vergißt. Einmal, ja, es stimmt, es war sogar hier, auf dem Dachboden, hast du dich schreiend mir zu Füßen geworfen, nur damit ich dich küsse.«

Als ich diese Worte höre, stürzen mir Tränen aus den Augen. Ich schreie:

»Das ist nicht wahr! Das ist nicht wahr!«

Indessen fühle ich aber, daß es wahr ist. Das sind Dinge, die man nicht erfindet. Es muß wahr sein. Ich setze mich. Der Schrecken schüttelt mich.

Er sagt:

»Das steht alles schwarz auf weiß in deinem Tagebuch. Soll ich die Stelle suchen, um es dir zu beweisen?«

Ich schreie:

»Nein, nein.«

Er grinst.

»Du weißt genau, daß es wahr ist. Wenn dem nicht so wäre, hättest du keine Angst, daß ich es dir vorlese.«

Er stellt sich hinter meinen Stuhl und beugt sich über mich wie ein Teufel. Er sagt:

»Mitunter hast du dich zusammengerissen, ist es dir gelungen, mich nicht mehr zu lieben, von oben auf mich herunterzusehen. Aber dann hat es genügt, daß ich dir nahe kam, wie jetzt, von hinten, und ich dir nur den Nacken mit dem Finger leicht berührte . . .«

Ich stehe auf. Ich schreie:

»Rühren Sie mich nicht an!«

Er grinst:

»Das sollte mir leid tun! Jedesmal, wenn ich dich berührt habe, hättest du sonst etwas getan. Du hättest mir die Füße geleckt, du hättest jemanden umgebracht, wenn ich es verlangt hätte. Manchmal bin ich wieder fortgegangen, ohne dich ein einziges Mal geküßt zu haben. Oh! Ich habe mich gerächt . . . Du erinnerst dich an das eine Mal, als ich dich zu einem Treffen in die Stadt bestellt hatte und dich glauben ließ, daß wir, du und ich, im Hotel zusammen schlafen würden. Du erinnerst dich! . . . Als du am Ort des Stelldicheins ankamst, hast du mich zusammen mit einer Frau gefunden. Ich habe dir gesagt: ›Tantine, ich stelle dir meine Braut vor.‹ Das war nur eine Aufschneiderei. Aber man hat dich in einem Taxi nach Hause bringen müssen, ohnmächtig. Du bist noch einen Monat lang krank gewesen. Du wärest beinahe vor Eifersucht umgekommen . . . Ein anderes Mal habe ich dich geschlagen, um dir damit ein Vergnügen zu bereiten, weil ich Geld brauchte, du mir aber keines geben wolltest, mit der Absicht, dich von mir schlagen zu lassen. Du hast dich auf den Boden geworfen und geschrien: ›Räche dich, schlage mich; mehr, noch mehr . . .!‹«

Entsetzt über diesen Bericht bleibe ich stumm. Er schleudert mir entgegen:

»Hündin!«

Dieses Wort bringt mich zum Aufruhr. Ich will fliehen, aber er versperrt mir den Zugang zur Tür. Er sagt:

»Nun gut, versöhnen wir uns wieder. Ich erlaube, daß man mich küßt.«

Er streckt mir die Arme entgegen. Er lächelt mir zu. Ich sehe ihn an, wie hypnotisiert. Mein Gott, ist er schön! Während er hinter meinem Rücken stand, hat er seinen Pullover ausgezogen, sein Hemd. Er steht mit nacktem Oberkörper vor mir. Ich kann seiner Aufforderung nicht widerstehen. Ich rufe:

»Ach, ich liebe dich!«

Ich stürze mich auf ihn, mit weit ausgebreiteten Armen. Ich umarme ihn. Meine Arme schließen sich um ihn, aber dazwischen ist eine große *Leere*. Ich falle nach vorn auf den Fußboden. Meine Stirn und meine Brüste berühren das Holz des Parketts. Ich falle in Ohnmacht.

5

Ich bin auf dem Dachboden wieder zu mir gekommen. Ich war allein. Ich bin aufgestanden. Taumelnd bin ich wieder hinuntergegangen. Marie ist im Laufe des Tages gekommen, um zu fragen, ob ich etwas brauche. Ich habe ihr nicht gesagt, daß ich wieder eine Halluzination gehabt habe. Man würde mich schließlich für verrückt halten. Ich werde es niemandem sagen. Das geht keinen etwas an. Ich will auch den Arzt nicht aufsuchen.

Ich bin übrigens weniger erschreckt als beim erstenmal. Beim Fallen habe ich mir aber das Gesicht aufgeschlagen. Ich habe Marie gesagt, daß ich im Garten über eine Wurzel gestolpert sei.

Es regt mich sehr auf, wenn ich an Nizou denke. Ich möchte ihn gern wiedersehen; wenn es sein müßte, auch nur als Gespenstererscheinung.

In diesem Haus spukt es. Ich weiß. Manchmal höre ich im ersten Stock Leute miteinander sprechen, wenn ich unten bin. Ich nehme Schritte auf der Treppe wahr, Kratzen, Schaben. Mehrere Male habe ich gehört, wie leise mein Name ausgesprochen wurde.

Marie ist weggegangen. Die Nacht ist gekommen. Ich habe zu Abend gegessen, ich habe mich schlafen gelegt, ich habe deutlich gehört:

»Jacqueline!«

Ich bin aus dem Bett gesprungen. Ich habe mich angekleidet. Ich bin zitternd auf den Dachboden hinaufgestiegen. Ich habe niemanden gesehen.

Ich habe die Tür aufgemacht, die zu dem Nebengelaß geht, dann die Tür zur Terrasse. Auf der Terrasse habe ich niemanden gesehen. Aber ich habe wieder gehört, daß jemand rief:

»Fräulein Jacqueline!«

Es war eine laute Stimme, die mich rief. Die Stimme schien von unten zu kommen. Ich habe mich über das Geländer der Terrasse gebeugt und eine Gestalt gesehen, die, von der Mauerlücke her kommend, auf allen vieren in den Garten kroch. Ich habe zuerst geglaubt, daß es ein großer Hund wäre, der den Bauch an die Erde preßt. Dann habe ich gesehen, daß es ein Mensch war, als der Mond aus einer Wolke heraustrat. Ich habe gerufen:

»Wer ist da? Was wollen Sie von mir?«

Die Gestalt hat sich erhoben, und ich habe den Menschen auf seinen Beinen stehend gesehen. Ich habe gesagt:

»Was machen Sie da in meinem Garten? Gehen Sie fort, oder ich rufe um Hilfe.«

Er hat gesagt:

»Ich heiße Clément.«

»Clément? Diesen Namen kenne ich nicht.«

Er hat gefragt:

»Ist es wahr, wie man sich erzählt, daß Sie das Gedächtnis verloren haben?«

Ich antworte:

»Ja, das ist wahr. Was wollen Sie von mir? Gehen Sie weg.«

Anstatt fortzugehen, kommt er dem Haus noch näher. Er sagt:

»Sie sind zu weit oben. Man muß zu laut reden. Kommen Sie herunter. Kommen Sie an das Fenster im ersten Stock! Bevor Sie das Gedächtnis verloren hatten, haben Sie mir erlaubt, Sie nachts zu besuchen, um Ihnen Geschichten zu erzählen.«

»Was für Geschichten?«

Plötzlich fällt mir ein, daß ich vielleicht interessante Dinge über meine Vergangenheit erfahren kann. Er scheint nichts Böses im Schilde zu führen. Sein Ton ist höflich, ergeben. Seine Stimme ist seltsam, aber sanft; sie rührt mich. Ich sage ihm:

»Warten Sie, ich komme herunter.«

Ich steige zum ersten Stockwerk hinunter, ich öffne das Fenster im Gang. Ich beuge mich zum Fenster hinaus. Jetzt kann ich das Gesicht des Mannes besser sehen. Es ist ein Engelsgesicht, ganz rund, mit treuherzigen Augen. Dieses Gesicht gehört zu einem riesigen Oberkörper. Ich sehe lange Arme mit mächtigen Händen. Und darunter kurze, winzige Beine. Ein Zwerg!

Ich sage:

»Sagen Sie mir, wer Sie sind, Clément! Ich habe ja alles vergessen.«

Er antwortet:

»Ich bin der Dorfidiot!«

Ich breche in ein Gelächter aus. Ich sage:

»Ja, tatsächlich?«

Er setzt hinzu:

»Ich bin der Sohn des Friedhofswärters.«

Das kühlt mich ab. Daher ist er also durch die Mauerlücke meines Gartens gekommen, die nach dem Friedhof zu offen ist. Ich sage:

»Aha! Nun gut!«

Er fügt hinzu:

»Und außerdem bin ich Ihr Liebhaber.«

Wieder fange ich an zu lachen. Gutgelaunt sage ich:

»Aber sagen Sie einmal, für einen Dorfidioten sehen Sie sehr aufgeweckt aus!«

Er sagt:

»Ganz recht, für die Leute ›mache‹ ich den Dorfidioten.

Aber nicht bei Ihnen: Sie haben mich erkannt. Außerdem mache ich noch viel mehr Sachen.«

»Was denn, zum Beispiel?«

»Ich mache den Vampir.«

Ich schreie:

»Also deswegen sind Sie soeben hierher gekrochen.«

»Ja, ich mache nachts den Leuten angst.«

»Finden Sie das drollig?«

Er gibt keine Antwort. Dann sagt er:

»Kommen Sie zum Fenster im Erdgeschoß herunter. Ich werde Ihnen leise etwas sagen.«

Ich versuche zu scherzen:

»Sagen Sie, Sie wollen mich doch nicht etwa mit Ihren großen Händen erwürgen? Man liest so allerhand in den Zeitungen.«

Er ruft:

»Ich Sie erwürgen? Eher würde ich mich für Sie umbringen lassen.«

»Gut, ich komme hinunter.«

Jetzt bin ich im Erdgeschoß. Ich mache das kleine Fenster eines Alkovens auf, der sich an das Eßzimmer anschließt. Sofort sehe ich seinen Kopf auf dem Fensterbrett. Höher kommt er nicht. Auch seine großen Pranken liegen flach auf dem Fensterbrett. Ich bin seiner Gnade ausgeliefert. Trotzdem habe ich keine Angst. Jetzt, aus der Nähe gesehen, kommt mir sein Kopf weniger schön vor. Der Blick seiner Augen ist etwas irre. Sein Gesicht ist mit Sommersprossen übersät. Seine roten Haare stehen ab wie eine Bürste. Die Nase ist krumm. Die Stirn hat zwei Buckel. Er hat eine Warze auf der rechten Wange und einen Kropf am Hals.

Mit leiser Stimme sagt er mir:

»Sie ist diese Nacht wiedergekommen.«

»Was? Wer ist gekommen?«

»Die Dame mit dem Knochen.«

»Die Dame mit dem Knochen? Ich verstehe nicht.«

Er erklärt mir:

»Sie ist ganz in Schwarz gekleidet. Sie kommt in einem schwarzen Wagen, der aussieht wie ein Leichenwagen. Der Kutscher sieht aus wie ein Leichenträger. Neben ihr liegt auf den Kissen des Wagens immer ein großer Knochen, wie ein Schienbein. Ihr gegenüber sitzt ein Mann, der eine brennende Kerze in der Hand hält. Der Wagen hält um Mitternacht an der Friedhofspforte an. Das Tor öffnet sich von ganz allein. Die Frau und der Mann steigen aus und betreten den Friedhof. Sie gehen zu Fuß bis zur Kreuzung in der Hauptallee. Der Mann trägt eine mit Trauerflor bespannte Trommel. Er schlägt die Trommel, die einen leisen dumpfen Ton von sich gibt. Auf den Trommelklang hin verlassen die Toten ihre Gräber. Die Frau hat eine Liste; sie ruft die Namen auf. Jeder Tote meldet sich: ›Hier!‹ Wenn das vorbei ist, kehren die Toten in ihre Gräber zurück. Der Mann und die Frau besteigen wieder ihren Wagen und fahren davon.«

Ich höre mir diesen Bericht mit verblüffter Miene an. Scherzt er? Aber nein, er scheint es ganz ernst zu meinen. Er muß etwas verrückt sein. Er liest meine Gedanken und fährt mich an:

»Sie glauben mir doch? Sie glauben doch daran, daß es wahr ist?«

Ich sage:

»Natürlich ist es wahr. Aber ich bin nicht heruntergekommen, um das zu hören. Sprechen wir von etwas anderem.«

Er sagt verdrießlich:

»Gut, sprechen wir von etwas anderem. Aber von was?«

Ich schlucke und sage mühsam:

»Sie haben sicher meinen Neffen gekannt . . . Nizou?«

»Herrn Denis? Natürlich habe ich ihn gekannt. Gut genug, daß ich ihn am liebsten jedesmal erwürgt hätte, wenn ich ihn sah, diesen elenden Kerl.«

Ich stoße einen Schrei aus:

»Oh! Und warum?«

»Weil Sie ihn liebten.«

»Ach! Und . . .«

Ich spreche nicht weiter. Ich zögere, ihn zu fragen, warum. Scham hält mich zurück. Und dennoch möchte ich etwas erfahren. Ich muß es wissen. Ich frage dreist:

»Und er, hat er mich geliebt?«

»Er?« Er lacht niederträchtig. »Eine alte Frau wie Sie! Zwanzig Jahre Altersunterschied! Überlegen Sie doch!«

Ich bin verblüfft, wie rücksichtslos er ist. Ich schreie:

»Sie haben mir aber doch gesagt, daß Sie in mich verliebt sind, und Sie sind jung.«

Er antwortet:

»Das stimmt schon, aber ich liebe Sie nicht in dem Sinn, wie Sie es verstehen.«

»Und wie lieben Sie mich denn?«

»Ich werde es Ihnen noch zeigen.«

Er zieht etwas aus seiner Tasche. Ich sehe genauer hin: es ist ein toter Vogel, anscheinend eine Taube. Er führt ihn an den Mund und schlägt seine Zähne in den Hals des Vogels. Er beißt fest zu. Das Blut spritzt. Sein Mund färbt sich ganz rot, und er zeigt es mir. Ich wende mich angewidert ab und sage:

»Gehen Sie fort.«

»Das ist nur eine tote Sache«, sagt er. »Was ich brauche, ist *lebendiges* Blut.«

Ich will das Fenster wieder schließen. Seine Hand schnellt vor und packt mich am Arm. Seine andere Hand ergreift mich am Hals. Sein Mund kommt mir näher. Ich fühle, wie seine spitzen Eckzähne in meinen Hals dringen. Der Schrekken lähmt mich, ich verliere aber trotzdem den Kopf nicht. Ich stoße sein Gesicht mit den Händen zurück. Ich presse mit den Fingerspitzen auf seine Augen. Er schreit auf vor Schmerz und läßt los. Ich trommle mit den Fäusten auf sein Gesicht. Er weicht zurück. Ich schreie:

»Zu Hilfe!«

Er entfernt sich kriechend zur Mauerlücke. Ich schließe die Fensterläden, dann die Fenster selbst. Keuchend bleibe ich einen Augenblick lang stehen. Nach einer Weile höre ich, wie er draußen mit doppelter Kraft auf die Fensterläden schlägt. Er ist zurückgekommen. Ich schreie:

»Gehen Sie fort! Gehen Sie fort!«

Er spricht sehr laut. Ich kann ihn durch das geschlossene Fenster hören:

»Jacqueline, ich . . . ich weiß, warum Sie das Gedächtnis verloren haben und warum Sie auf der Straße wieder erwacht sind, warum Sie Halluzinationen haben. Ich bin der einzige, der es weiß. Soll ich es Ihnen sagen? Machen Sie das Fenster auf. Es ist ein Geheimnis, das nur Sie allein hören dürfen. Ich werde es Ihnen leise sagen.«

Ich denke nach.

Ist es eine Falle? – Aber wenn es wahr wäre? Wenn er es mir sagen könnte . . .

Vielleicht kennt er ein Ereignis in meinem Leben, das sonst niemand weiß. So etwas gibt es. Mein Gehirn arbeitet fieberhaft. Schließlich komme ich zu einem Entschluß. Die Neugier siegt. Ich öffne die Fenster und lege die Hand auf den Verschluß, um die äußeren Fensterläden zu öffnen. Aber die Furcht hält mich wieder zurück. Ich rufe durch die Fensterläden hindurch:

»Ich habe das Fenster aufgemacht. Sprechen Sie, ich höre.«

Er sagt:

»Machen Sie die Fensterläden auf.«

Ich schreie:

»Nein, nein!«

»Sie werden mich nicht verstehen, wenn ich leise spreche.«

»Doch. Ich halte das Ohr ganz nahe an den Fensterladen. Sprechen Sie, ich werde Sie schon verstehen. Ich werde Ihnen morgen ein Geschenk machen, ich werde Ihnen Geld geben. Sprechen Sie, sagen Sie mir, warum ich das Gedächtnis verloren habe.«

Ich presse das rechte Ohr an den Fensterladen. Er spricht leise. Ich verstehe nicht, was er sagt.

»Etwas lauter bitte. Ich verstehe nichts.«

Er setzt wieder an. Er sagt vier oder fünf Worte, deutlicher. Ich habe sehr gut verstanden.

Beim Zuhören weiten sich meine Augen vor Schrecken. Mein Mund öffnet sich, ohne daß sich meinen Lippen ein Schrei entringt.

Ich schlage mit meinen Armen um mich; ich drehe mich ein- oder zweimal um mich selber. Schließlich falle ich ohnmächtig zu Boden.

6

Ich bin mitten in der Nacht aufgewacht. Ich lag auf dem Fußboden des Alkovens ausgestreckt. Ich bin aufgestanden und an allen Gliedern zitternd zu Bett gegangen. Ich habe die ganze Nacht nicht geschlafen. Ich habe mich nur ständig in meinem Bett hin und her gewälzt und versucht, mich an das zu erinnern, was mir Clément gesagt hatte.

Ich weiß, daß mir Clément erklärt hat, warum ich das Gedächtnis verloren habe, aber ich habe vergessen, was er gesagt hat. Ich habe mich verzweifelt angestrengt, mich zu erinnern, aber umsonst. Was hat er mir nur gesagt? Aber bestimmt hat er es mir gesagt, denn es war ja die ungeheuerliche Enthüllung, die mich ohnmächtig werden ließ. Ich zittere immer noch.

Ich muß mit Clément sprechen, ihn ausfragen, trotz des Schreckens, den er mir einflößt, damit ich ihm sein Geheimnis entreiße. Ich darf keine Rücksicht nehmen, wenn ich darunter leide. Ich muß es wissen, *wissen!* In dieser Ungewißheit kann ich nicht leben. Der Arzt hat mir gesagt, daß ich geheilt würde, wenn ich mich an das Ereignis erinnern kann, durch das ich das Gedächtnis verloren habe.

Wie aber kann ich mit Clément sprechen? Wenn er der Sohn des Friedhofswärters ist, dann müßte ich ihn wiedertreffen können. Ich werde ihn auf der Straße sehen. Ich werde ihn anhalten. Ich werde mit ihm reden. Aber er soll nicht mehr durch die Bresche in meinen Garten eindringen, ohne daß ich es weiß, niemals, niemals wieder.

Ich bin zum Dorf gegangen und habe mich nach der Adresse eines Maurers erkundigt. Ich habe einen gefunden. Er hat mir versprochen, die Bresche in der Mauer zu reparieren, aber er ist nicht gekommen. Ich bin nochmals hingegangen. Seine Frau hat mir gesagt, daß er anderswo eine große Arbeit hätte, daß er aber bald käme. Ich habe wohl verstanden, daß er nicht kommt, und habe, so gut es ging, die Lücke mit einem alten Drahtgitter verschlossen, das ich im Schuppen gefunden habe. Ich habe das Gitter mit Kisten und Brettern befestigt. Unten habe ich Steine, Ziegel, Erde, Stücke von zerbrochenen Glasscheiben, Scherben von Blumentöpfen, Alteisen und alle möglichen Abfallstücke untergelegt, die im Garten umherlagen.

Als ich damit fertig war, hat es geläutet. Ich habe die Tür zur Straße geöffnet und einen Unbekannten vor mir gesehen. Einen großen Herrn, gut gekleidet, älter, der mich lächelnd ansieht. Er sagt:

»Guten Tag, Jacqueline!«

Seine linke Hand hält ein Paket, das am Ende eines Bindfadens schaukelt. Er reicht mir seine rechte Hand. Wer ist er? Ich gebe ihm aufs Geratewohl auch meine Hand, und er drückt sie sehr fest. Er sagt:

»Darf ich eintreten?«

Ohne meine Erlaubnis abzuwarten, tritt er ein. Ich mache die Tür zu. Er betrachtet mich stehend, ohne etwas zu sagen. Das Schweigen wird peinlich. Er macht ein überraschtes Gesicht. Ich errate, daß er auf ein Wort von mir wartet. Aber was soll ich sagen? Ich mustere ihn prüfend. Er ist sehr groß, stark, hat eine gute Figur. Das Gesicht ist oval, er hat weiße Haare, eine Adlernase, sanfte Augen. Seine Schuhe sind gut geputzt, sein Anzug von gutem Schnitt, braun mit weißem Fadenmuster. Er trägt eine Nelke im Knopfloch. In einer Tasche seines Sakkos steckt eine zusammengelegte Brille. Es muß ein Freund sein, weil er mich Jacqueline genannt hat. Vielleicht ein Verwandter? Schließlich öffnet er den Mund. Er sagt:

»Ich bringe Ihnen ein Buch, Jacqueline . . .«

Er reicht mir sein Paket. Ich nehme es, ohne Dank zu sagen. Ich denke, ein Buch? Warum bringt man mir ein Buch? Ich sage nichts. Auch er bleibt stumm. Er erwartet eine Erwiderung, eine Reaktion von meiner Seite, die aber nicht kommt. Er macht ein sehr erstauntes Gesicht. Schließlich fragt er:

»Sie lachen nicht?«

Ich antworte einfältig:

»Muß ich denn lachen?«

Er sieht mich verblüfft an. Ich raffe mich auf. Ich sage:

»Entschuldigen Sie, mein Herr. Ich möchte Ihnen lieber gleich sagen, daß ich völlig das Gedächtnis verloren habe. Jedes Ihrer Worte ist daher für mich ein Rätsel. Ich erkenne Sie nicht. Ich weiß nicht, wer Sie sind. Ich weiß Ihren Namen nicht. Von meinem Standpunkt aus sehe ich Sie zum erstenmal in meinem Leben. Das wird Ihnen sicher sonderbar vorkommen, weil es so aussieht, als ob Sie mich gut kennen. Aber ich kann nichts dafür. Es ist so. Kurz . . .«

Er unterbricht mich.

»Gut. Ich habe verstanden. Ich gehe wieder.«

Er macht Miene, zur Tür zu gehen. Ich protestiere lebhaft.

»Aber nein, aber nein. Ich bin sehr neugierig, zu wissen, wer Sie sind. Sagen Sie es mir bitte.«

Er lacht leise.

»Also, dieses Mal spotten Sie auf diese Weise über mich . . .«

Ich antworte hastig:

»Ich verspotte Sie nicht. Es ist mir sehr ernst. Hören Sie mir bitte zu.«

Ich erkläre ihm lang und breit, was mit mir geschehen ist:

mein Erwachen auf der Straße, mein Gang zur Agentur A. V., meine Halluzinationen. Ich füge hinzu:

»Übrigens, wenn Sie an meinen Worten zweifeln, können Sie sich bei Marie erkundigen, meiner Haushälterin. Sie kennen sie? Nun gut, gehen Sie zu ihr. Sie werden ja sehen, was sie Ihnen sagt. Oder noch besser, fragen Sie den ersten besten Menschen, den Sie auf der Straße treffen. Das ganze Dorf ist im Bilde. Dann werden Sie ja sehen, ob ich lüge oder nicht.«

Er hört nicht auf zu lächeln und schüttelt den Kopf dabei. Ich sehe, daß er mir nicht glaubt. Ich erkläre ihm alles von neuem, in heftigem Ton, fast wütend. Sein Lächeln weicht einer erstaunten Miene. Er schwankt zwischen Glauben und Zweifel. Ich sage sanft:

»Sagen Sie mir bitte Ihren Namen.«

Er läßt mich lange auf eine Antwort warten. Schließlich stellt er sich mit verstörter Miene vor:

»André Magnan.«

Ich spreche ihm nach:

»André Magnan.«

»Sagt Ihnen das etwas?«

»Nein, nichts.«

Ein langes Schweigen entsteht im Zimmer. Dieses Schweigen ist mir unbehaglich. Ich sage:

»Setzen Sie sich bitte und erzählen Sie mir alles.«

Er fragt:

»Was alles?«

Ich antworte:

»Nun, wo, wann und wie wir uns kennengelernt haben, wie unsere Beziehungen zueinander sind, welche hauptsächlichen Ereignisse am Weg unserer Freundschaft stehen, denn ich nehme an, daß wir Freunde sind; warum Sie mich besuchen und dabei ein Buch mitbringen und warum ich beim Anblick dieses Buches lachen sollte. Da ich mich an nichts erinnere, müssen Sie mein Gedächtnis auffrischen, sonst reden wir weiterhin aneinander vorbei, und wir werden uns niemals verständigen können. Sobald ich alles weiß, können wir vielleicht unsere Verbindung wieder aufnehmen von dem Zeitpunkt an, zu dem wir uns zum letztenmal gesehen haben. Hat Ihr heutiger Besuch einen bestimmten Zweck? Fangen Sie bitte damit an.«

Er ist stehengeblieben, ich sehe aber, wie sich sein Blick belebt. Ich bin im Begriff, etwas zu erfahren. Er sagt:

»Warum ich Sie besuche? Um um Ihre Hand anzuhalten, das ist doch klar! Als ob Sie das nicht wüßten! Zum zweiunddreißigsten Male in zweiunddreißig Jahren bringe ich Ihnen ein Buch, Jacqueline, und ich frage Sie: Wollen Sie meine Frau werden? Die Gewißheit einer Ablehnung wird mich niemals davon abhalten, Sie das jedesmal zu fragen, am gleichen Tag.«

Ich rufe in höchster Verblüffung aus:

»Ich soll Ihnen einunddreißigmal meine Hand verweigert haben?«

»Ja.«

»Warum? Ich verstehe das nicht.«

»Warum! Jetzt fragt sie mich auch noch, warum!«

Nervös und händeringend läuft er auf und ab.

Plötzlich greift er in die Innentasche seines Sakkos und zieht ein umfangreiches Päckchen heraus, das er auf den Tisch legt.

»Ja«, sagt er, »wenn Sie sich an nichts erinnern wollen, dann lesen Sie wenigstens die Briefe wieder, die ich Ihnen in dreißig Jahren meines Lebens geschrieben habe. Das wird Ihre Strafe sein. Diese Briefe haben Sie mir zurückgegeben. Ich habe sie wiedergeholt, als Sie mich wissen ließen, daß Sie des Aufhebens müde wären und sich überlegten, sie zu verbrennen. Es sind einhundert Stück, und dazu vier oder fünf Briefe, die Sie mir wohlwollend geschrieben haben, seitdem ich Sie kenne. In meinen Briefen habe ich die Manie gehabt, Ihnen alles zu erzählen, was wir seit unserem vorhergehenden Treffen gesagt und getan hatten. Ich hatte Ihnen auch über die Ereignisse meines einsamen Lebens berichtet. Sie werden in dem Päckchen auch einige Fotos von mir finden, aus der Zeit, da ich noch jung war, und auch zahlreiche Fotos von Ihnen, die ich selber aufgenommen habe. Die Briefe trage ich immer bei mir, an meinem Herzen. Ich lese sie weinend alle Tage wieder. Die Fotos küsse ich vor dem Schlafengehen. Seit dreißig Jahren liebe ich Sie, Jacqueline. Und Sie, Sie empfinden für mich nur Mißtrauen und Haß. Und dennoch werde ich Sie bis zu meinem letzten Atemzug lieben. Ihr vorgetäuschter Gedächtnisverlust hat mir wenigstens erlaubt, Ihnen wieder meine Liebe zu offenbaren. Lesen Sie. Lesen Sie die Briefe. Ich werde in einer Stunde wiederkommen.«

Daraufhin ist er wie ein Verrückter davongerannt.

Berührt durch das, was ich soeben gehört habe, setze ich mich auf mein Sofa und lese die Briefe.

Ich erfahre durch die Briefe . . .

Wir haben uns auf den Bänken im Park bei der Universität kennengelernt. Wir bereiteten uns alle beide auf eine Prüfung in Philosophie vor. Beim Verlassen des Vortragssaales haben wir über ein Buch gesprochen, das ich für mein Examen brauchte. Er hat mir gesagt, daß er dieses Buch bei sich daheim hätte. Er hat mir vorgeschlagen, es mir zu bringen. Ich war damit einverstanden. Ich habe geglaubt, daß er es mir zur Vorlesung mitbrächte. Er hat mich aber nach meiner Adresse gefragt. Er wollte es mir nach Hause bringen, damit ich es schneller habe. Ein wenig erstaunt, habe ich ihm meine Adresse gegeben. Er ist am nächsten Tag gekommen. Foufouille hat ihn empfangen. Sie hat mich gerufen und uns allein gelassen. Er hat mir das Buch gegeben und ohne Umschweife erklärt, daß er mich liebte (der bekannte Blitzschlag!), und hat um meine Hand angehalten. Ich habe abgelehnt.

Ich habe gesagt, daß ich mich anderweitig gebunden hätte und daß es nicht an würdigeren Frauen als ich fehlte, um ihn glücklich zu machen. Das alles ruft er mir in seinem ersten Brief wieder ins Gedächtnis. Der Brief ist mit Flecken übersät, wahrscheinlich von den Tränen, die er beim wiederholten Durchlesen vergossen hat. Alle Briefe weisen Spuren von Tränen auf.

Schon in diesem ersten Brief kündigt er an, daß er mich wieder besuchen wird, um mir ein neues Buch zu bringen.

Der zweite Brief ist während der Ferien geschrieben. Ich erfahre, daß er sein Examen bestanden hat; ich nicht. Ich habe mich entschieden, mein Studium nicht fortzusetzen, und eine Stellung als Lehrerin in meinem Dorf angenommen (wozu mich mein Vordiplom berechtigt), um Foufouille nicht zu verlassen. Er selber hat sich um einen Posten als Studienrat am Lyzeum der Stadt beworben und ihn auch erhalten. Er will noch weiterkommen, aber seine Schule nicht verlassen, um in meiner Nähe zu bleiben. Er entschuldigt sich, mir das nach meiner Ablehnung zu sagen, aber ich kann ihn nicht daran hindern, mich zu lieben. Er wird mich immer lieben.

Dritter Brief: Ich erfahre, daß er aus den Ferien zurück ist. Er hat mir ein Buch gebracht und wieder um meine Hand angehalten. Ich habe ihn ausgelacht. Ich habe so sehr gelacht, daß ich davon krank geworden bin und ihn gebeten habe, wieder fortzugehen. Er hat sich überstürzt zurückgezogen.

Auf diesen Brief folgt ein Brief von mir, den ich ihm geschrieben habe, um mich wegen meines unhöflichen Lachens zu entschuldigen. Ich erkläre ihm, daß ich nichts dafür konnte: Als er zum zweitenmal um meine Hand anhielt, habe ich gefühlt, wie ein Kloß, immer größer werdend, in mir hochstieg. Ich hatte mich verzweifelt angestrengt, diesen Kloß zurückzuhalten, aber schließlich war er unwillkürlich explodiert. Es war ein irres Lachen, das mich von Kopf bis Fuß durchgeschüttelt hat; meine Hände haben gezappelt wie bei einer Verrückten. Ich habe dabei ein Gebrüll ausgestoßen wie ein angeschossener Tiger. Und an allem war nur ein unbezwingbares Lachen schuld.

Er antwortet mir, daß ich mich nicht zu entschuldigen

brauche; mein Lachen entzückt ihn sogar. Alles das, was von mir kommt, bezaubert ihn, sogar mein unhöfliches Lachen.

Ein anderer Brief: Er hat mich wieder besucht, mit einem dritten Buch. Er teilt mir mit, daß er befördert worden ist. Er hat zwar noch ein Anfangsgehalt, das aber ausreicht, um einen eigenen Hausstand zu gründen. Aber eines: Er hat wieder um meine Hand angehalten (zum drittenmal), und ich habe abgelehnt. Ich habe ihn davongejagt. Dieses Mal bin ich wütend geworden. Ich habe mich laut über die Belästigung beschwert. In seinem Brief drückt er ein bewunderndes Staunen über meine Wut aus. Alles, was ich mache, alles, was ich sage, bezaubert ihn. Er wird mich lieben bis zu seinem Tode, *selbst wenn ich einen anderen Mann als ihn heirate.* Er wird sich niemals verheiraten, außer mit mir. Und wenn mein Gatte stirbt, wird er wieder um meine Hand anhalten, wenn ich Witwe sein werde. Ich bewundere seine Hartnäckigkeit, für die er sich übrigens in netten, schmeichelhaften und sogar übertriebenen Ausdrücken entschuldigt. Ich staune, daß ich ihm so lange Zeit widerstanden habe. Sein Stil ist anmutig, leidenschaftlich; er versteht es, das Herz einer normalen Frau gefangenzunehmen. Ich gehe rasch die anderen Briefe durch.

Jedes Jahr ein Heiratsantrag; Ablehnung meinerseits. Er ist immer in der Stadt und ich auf dem Dorf. Er sagt, daß er mich immer lieben wird, daß er auf mich warten wird. Eines Tages habe ich ihm erschöpft geschrieben, daß ich wahrscheinlich Lepra hätte, um ihn endlich loszuwerden. Er antwortet mir, daß er mich auch als Leprakranke, von der Pest Befallene, Blinde, Amputierte, Verrückte, Kriminelle, ja sogar als Tote lieben wird. Ich bin seine einzige Liebe, sein einziger Gedanke. Das ist wunderbar. Ich bin gerührt.

In einem anderen Brief berichtet er mir, daß ich ihm meine Heirat mit dem Sohn des Herrn Untel angekündigt habe, um ihn endgültig abzuschütteln. Was geschieht? Er hat die Familie dieses Untel aufgesucht, halb tot vor Eifersucht, um den Mann, der mich gewonnen hat, aus der Nähe zu sehen – und den er übrigens anbetet, weil ich ihn liebe. Dort hat er erfahren, daß Herr Untel nur Töchter hat.

Freude ... Freude, die mich tötet ... göttliche Betrügerin ... Sie haben mir dieses schreckliche Leid zugefügt, um mich auf das herrliche Glück vorzubereiten. Sie frei zu sehen, frei, FREI! Dieses Wort tönt in meinem Kopf wie eine Fanfare. Ich liebe Sie. Ich bete Sie an.

Ein weiterer Brief: Er hat Nizou bei mir angetroffen. Er hat die Zärtlichkeit begriffen, die ich für meinen Neffen hege. Er betet diesen Burschen an, weil ich ihn liebe.

Ich werde niemals alle diese Briefe lesen können. Es sind ihrer zu viele. Etwa aus dem Ende des Päckchens greife ich, es dem Zufall überlassend, einen Brief heraus, um zu sehen, wie die Geschichte ausgeht. Er schreibt mir, daß er meine unkeusche Liebe und meine verlorene Seele erkannt hat. Er liebt meine unkeusche Liebe und meine verlorene Seele. Er liebt Nizou, weil ich ihn liebe. Ich habe ihm geschrieben, daß alle Dämonen der Hölle in meinem Herzen lebten. Er liebt alle Dämonen der Hölle, die in meinem Herzen sind, alles, was in mir ist, das Gute, das Böse, alles bunt durcheinander, ohne zu kritisieren, ohne zu unterscheiden. Das ist eine Leidenschaft ohne Grenzen, übermenschlich, fast göttlich. Oder noch besser gesagt, das ist es, wie die Liebe sein sollte: erhaben über alle Kleinlichkeiten, unendlich, endgültig, unerschütterlich wie ein Fels. Ich bin tief bewegt. Die Tränen hindern mich am Weiterlesen.

Ich lese den letzten Brief des Bündels, in der Hoffnung, darin eine Einzelheit zu finden, die mir erklären könnte, warum ich das Gedächtnis verloren habe. Nein, nichts: Es ist ein Brief wie alle anderen, leidenschaftlich, rührend, der aber nichts Neues bringt.

Bei dem Briefbündel sind Fotos. Sie sind numeriert. Auf dem ersten ist André sehr jung; ein ganz hübscher Knabe. Gott! Wie ist er in den dreißig Jahren gealtert! Und ich? Hier ist mein Bild als Zwanzigjährige. Nicht übel. Ich betrachte mich im Spiegel. Ich bin alt, alt: ich bin fünfzig Jahre alt!

Auf dem Küchentisch sehe ich das Buch, das er mir gebracht hat. Es ist in graues Papier eingewickelt, auf das er geschrieben hat: FÜR JACQUELINE.

Ich öffne das Paket. Ich finde ein philosophisches Werk. Auf den Schutzumschlag hat er eine lange Widmung geschrieben, die eine Liebeserklärung ist. Ich lege das Buch in den Wandschrank, zu den anderen Büchern. Und plötzlich kommt mir der Gedanke, daß auch die anderen Bücher da sein müssen, die er mir gebracht hat. Ich suche sie. Da sind sie, alle beisammen, im oberen Fach. Auf meinem Stuhl vornübergelehnt, blättere ich sie durch. Rührung erfaßt mich. In diesem Augenblick läutet es. Das muß er sein. Schnell stelle ich das Buch in den Schrank zurück und gehe, um zu öffnen. Es ist André Magnan. Ich bin tief bewegt. Er sagt mir:

»Nun, haben Sie sie gelesen?«

»Die Zeit war zu knapp, um sie alle zu lesen, aber ich habe genug gelesen, um . . .«

Ich vollende meinen Satz nicht.

Er sagt:

»Jacqueline, ich habe mich erkundigt. Es scheint wahr zu sein, daß Sie das Gedächtnis verloren haben. Wie konnte das nur geschehen, arme Kleine?«

Er nimmt meine Hand und betrachtet mich mitfühlend. Ich breche in Tränen aus, erschüttert durch sein Mitleid. Und er selber ist gerührt durch meine Tränen. Er klopft mich liebevoll auf die Schulter. Vielleicht um mich zum Lachen zu bringen, sagt er:

»Jacqueline, zum zweiunddreißigstenmal, oder besser gesagt, zum dreiunddreißigstenmal, weil ich soeben wieder einen Antrag gestellt habe, frage ich Sie: Wollen Sie meine Frau werden? Wenn nicht, lehnen Sie ab. Ich werde Sie lieben, auch wenn Sie sich weigern. Lachen Sie. Verspotten Sie mich.«

Ich sehe ihn verwirrt an. Mir ist durchaus nicht zum Lachen. Ich bin ratlos. Was soll ich sagen? Was soll ich tun?

Er, er liebt mich seit langem. Aber ich! Es kommt mir vor, als ob ich ihn seit kaum einer Stunde kenne!

In diesem Augenblick höre ich jemanden, der mich ruft:
»Jacqueline!«

Es ist ein kurzer Ruf, klangvoll, herrisch . . .

7

Diese Stimme . . . Ich erkenne sie wieder! . . . Sie kommt von oben.

Ich sage zu Magnan:
»Haben Sie gehört?«

Er antwortet nicht. Mir klopft das Herz, und ich atme schwer. Die Stimme wiederholt ihren Ruf, noch deutlicher:
»Jacqueline! Tantine!«

Ich rufe:
»Das ist mein Neffe! Das ist Nizou, der mich ruft!«

Ich gehe zur Treppe, die zum Dachboden führt. Da oben habe ich ihn zum erstenmal gesehen. Er wartet auf mich. Ich muß zu ihm. Ich will ihn sehen, selbst wenn ich ihn nur als Gespenst sehe. Ich will wieder das wunderbare Gefühl haben, wie ich es beim letzten Zusammensein empfand, so herrlich, so *wirklich*, so *voller Leben!* Ich kann ihn nur so sehen. Gehen wir hinauf.

Trotzdem zögere ich. Ich bleibe da, vor der ersten Treppenstufe wie festgewurzelt, unfähig, mich zu entscheiden. Ich weiß nicht, was mich lähmt. (Scham? Furcht?) Ich kann mich nicht dazu aufraffen, die Stufen hochzugehen.

Plötzlich zerreißt eine Detonation die Luft. Ich schreie:
»Er hat sich umgebracht!«

Meine Einbildungskraft geht mit mir durch. Ich stoße einen lauten Schrei aus und stürme die Treppe hoch. Ich betrete den Dachboden. Nizou ist nicht da. Auch in dem versteckten Raum ist er nicht, der sich an den Dachboden anschließt. Ein zweiter Schuß dröhnt. Es kommt von draußen. Es kommt von der Terrasse. Ich stürze auf die Terrasse. Ich sehe Nizou. Er ist nackt. Er trägt nur einen Bademantel um die Hüften. Er hält einen Revolver in der rechten Hand. Ohne den Revolver loszulassen, macht er Gymnastik. Ich sehe ihn wirklich vor mir, lebendig, mit klaren Umrissen, die sich deutlich von der hohen weißen Mauer der Terrasse abheben. Rhythmisch hebt er die Arme, die Beine, senkt sie. Sein Oberkörper beugt und wendet sich nach rechts und links. Ich bewundere seine seidig glatte braune Haut. Ich bewundere das Spiel der Muskulatur.

Er sieht mich wortlos an.

Ich sage:

»Ich habe geglaubt . . . Was bedeuten diese Revolverschüsse?«

Er antwortet:

»Nichts. Ich wollte nur, daß du heraufkommst.«

Er sagt das mit spöttischer Miene.

Ich sage:

»Wie kannst du . . .?«

Er unterbricht mich und fragt:

»Wer spricht da unten mit dir?«

»Es ist Herr André Magnan.«

»Das habe ich mir gedacht. Ich weiß nicht, was ihr da anzettelt, aber es wird schlecht ausgehen.«

Er sieht mich mit harter Miene an; seine Augen schleudern wütende Blicke. Ist er eifersüchtig? Ich nutze meine gute Position aus, um zu sehen, wie er reagiert, und sage mit weiblicher List:

»Er hat um meine Hand angehalten.«

Er bemerkt achselzuckend:

»Einmal mehr oder weniger . . .«

»Ja, aber dieses Mal habe ich sie ihm gewährt. Ich habe *ja* gesagt.«

Als er das hört, wird er ganz blaß. Er sagt mir mit wütender Stimme:

»Jage diesen Menschen augenblicklich fort!«

Ich schreie:

»Niemals im Leben!«

»Sag ihm, er soll sofort weggehen. Sonst . . .«

Er hebt den Revolver an seine Schläfe. Sein Zeigefinger liegt am Abzug. Er ist im Begriff, abzudrücken!

Ich schreie:

»Nein, nein, Nizou, nicht das! Nicht das! Ich mache alles, was du willst.«

Er sagt:

»Zu spät. Du hast es so gewollt.«

Ich springe hinzu, um ihm den Revolver zu entreißen, um ihn am Selbstmord zu hindern. Er bricht in lautes Gelächter aus. Ich versuche, ihm die Waffe wegzunehmen. Meine Hand greift ins Leere. Die Vision verschwindet. Nizou ist nicht mehr da. Er hat sich in Nichts aufgelöst. Verblüfft stehe ich da.

Plötzlich fühle ich mich am Arm berührt. Ich stoße vor Schrecken einen schrillen Schrei aus. Eine Stimme sagt:

»Jacqueline!«

Ich drehe mich um. Ich sehe André Magnan. Er ist hinter mir die Treppe heraufgekommen. Ich frage ihn:

»Haben Sie ihn gesehen? Haben Sie ihn gehört?«

»Ich habe niemanden gesehen. Ich habe nur Ihre verängstigte Stimme gehört. Ich habe nichts gesehen als Ihre närrischen Gesten. Es ist niemand dagewesen, Jacqueline. Es war niemand da, nur Sie selbst und das Gespenst, das Ihre Einbildung geschaffen hat.«

Diese festen Worte, in einem wohlwollenden und zärtlichen Ton gesagt, energisch und mitfühlend, öffnen mir die Augen. Ich werde mir mit Schrecken meiner Narrheit bewußt, meiner gefährlichen und unnützen Verrücktheit.

Ich schreie:

»Ach, retten Sie mich!«

Er öffnet weit seine Arme. Ich stürze hinein und schmiege mich an ihn. Er preßt mich an seine Brust. Unsere Lippen liegen fest aufeinander. Lange Zeit bleiben wir umschlungen. Dann sage ich:

»Verzeihung! Verzeihung!«

Ich bitte ihn um Verzeihung für alles Übel, das ich ihm zugefügt habe. Dann sind wir umschlungen hinuntergegangen. Unten, in der Küche, hat er sich auf einen Stuhl gesetzt. Ich habe mich hingekniet, meinen Kopf auf seine Knie gelegt. Seine Finger haben mein Haar gestreichelt. Ich habe weinend mit leidenschaftlicher Stimme gesagt:

»Führen Sie mich weit fort von hier, André, weit weg von meinen Halluzinationen, weit von meiner Einsamkeit, weit von diesem verwünschten Haus. Ich will Ihre Frau werden. Nehmen Sie mich. Bringen Sie mich aber sofort weg von hier.«

Er sagt mit zitternder Stimme:

»Jacqueline . . . o Jacqueline!«

Das ist alles, was er sagen kann.

Wir haben uns entschlossen, in der Stadt zu heiraten, dort, wo er seinen Beruf ausübt. Noch vor dem Ende dieses Tages werde ich dieses Gespensterhaus verlassen haben. Wir werden den Abendzug nehmen. Wir machen Zukunftspläne. Wie war ich töricht, ein Gespenst anzubeten, wo ich hier ein Wesen aus Fleisch und Blut habe, das mich liebt! Ich bereite das Abendessen vor. Ich decke den Tisch. Der Abend fällt.

Vor dem Weggehen werde ich den Hausschlüssel Marie überlassen, und ich werde an einen Makler schreiben, damit man mein Haus verkauft. Ich will nicht mehr hierher zurückkehren. Niemals wieder. Ich will nichts mitnehmen, außer dem Porträt meiner Mutter.

Wir sind mit dem Abendessen fertig. Ich stehe auf und sage André, daß ich mich für die Reise umziehen will. Er ist im Begriff, zu rauchen, und ich lasse ihn im Eßzimmer zurück. Ich gehe singend die Treppe hinauf. Er folgt mir ganz leise und küßt mich auf der Treppe. Ich erwidere seine Küsse.

Ich bin glücklich. Ich löse mich aus seiner Umarmung und

sage, daß wir uns beeilen müssen, wenn wir nicht den Zug verpassen wollen. Mit Bedauern läßt er mich los. Er geht hinunter. Ich gehe hinauf. In meinem Zimmer kleide ich mich warm an. Ich ziehe einen Mantel an, ich setze einen Hut auf. Ich singe. Ich fürchte nichts mehr. Ich fühle mich stark. Ich liebe, und ich werde geliebt. Ich bin verliebt. Wie habe ich der Liebe von André nur so lange widerstehen können? Einer so starken, so reinen Liebe? Ich lache und weine zugleich. Ich bin ganz von meiner Liebe und von Dankbarkeit erfüllt. Ich reise ab, wir reisen ab, gemeinsam, der Liebe entgegen, zwei glückliche Wesen, durch die Liebe vereint. In der Stadt werden wir das Aufgebot bestellen. Wir werden uns verheiraten. Wir werden Mann und Frau sein. Ich werde meine neue Anschrift der Post mitteilen müssen, damit meine Post nachgesandt wird. Ich werde in dem Haus von André wohnen. Ich werde seine Wohnung einrichten. Ich werde ein Nest bauen, ein behagliches Nest, ein Nest der Liebe. Alle meine Leiden werden vorbei sein. Ich singe. Ich packe ein paar Sachen in meinen Koffer. Vergesse ich auch nichts? Ach, was kommt es darauf an! Ich habe alles, was ich brauche, weil ich André liebe. Ich mache eine sorglose Handbewegung. Ich schalte den Strom ab. Unten werde ich den Zähler ablesen. Ich gehe die Treppe hinunter, leicht wie ein Vogel. Schnell, wir dürfen den Zug nicht verpassen. Sonst müssen wir die Nacht hier verbringen. Es ist der letzte Zug. Für diese Nacht werde ich in der Stadt in ein Hotel gehen. Dort werde ich bleiben, bis wir verheiratet sind. Zumindest, bis André nicht verlangt . . . Ich werde tun, was er will. Ich liebe ihn.

Unten rufe ich aus der Küche:

»André, ich bin bereit.«

Keine Antwort. Ich gehe ins Eßzimmer. André ist nicht da. Wo ist er hingegangen? Ich gehe in den Garten. Ich rufe ihn. Er ist nicht im Garten. Könnte er im Schuppen sein? Was sollte er dort tun?

Ich rufe auf der Treppe:

»André! André!«

Keine Antwort. Das Haus ist leer! Was bedeutet das? Klar! Er ist nach draußen gegangen. Vielleicht holt er Zigaretten im Dorf? Er hätte es mir aber sagen sollen. Wir werden noch den Zug verpassen.

Ich mache die Haustür auf. Ich sehe nach, in Richtung Dorf, ob er zurückkommt. Niemand zu sehen. Die Straßenlaterne erhellt den Weg.

Ich wende mich um. Auf der entgegengesetzten Seite werde ich einer Gestalt im Schatten gewahr, nahe am Fenster dicht an die Mauer meines Hauses gedrängt. Ich rufe:

»André!«

Keine Antwort.

Ich kneife die Augen zusammen, mustere prüfend die Gestalt. Ich sehe . . . Das ist nicht André. Das ist Clément, der Zwerg. Es ist wieder wie ein Schock. Ich raffe mich auf. Ich frage ihn:

»Haben Sie nicht André gesehen? Herrn Magnan?«

Er nickt.

»Wohin ist er gegangen?«

Er zeigt den Weg mit dem Finger.

Ich sage:

»Ist er diesen Weg gegangen?«

Was hat er vorgehabt? Das ist der Weg zum Bahnhof. Ist er denn ganz allein zum Bahnhof gegangen, ohne auf mich zu warten? Das ist unmöglich!

Clément gibt mir ein Zeichen, ihm zu folgen. Er schickt sich an, zum Bahnhof zu gehen. Voller Angst eile ich ihm nach.

Ich rufe ihm zu:

»Ein Unfall?«

Er schüttelt den Kopf. Ich schreie:

»Aber so sprechen Sie doch! Sagen Sie doch etwas!«

Er läuft weiter, ohne etwas zu sagen. Ich versuche ihn anzuhalten, indem ich ihn am Ärmel ziehe. Er stapft unbeeindruckt weiter, ohne etwas zu sagen. Wir gehen die Friedhofsmauer entlang. Er geht durch das große Portal hinein.

Ich folge ihm. Er führt mich zu einer großen, vom Mond beschienenen Fläche. Das ist der Friedhof. Ich sehe die Gräber. Ich sage:

»Vielleicht wollte er vor der Abreise an einem Grab beten? Eines Verwandten vielleicht?«

Clément antwortet nicht. Ich folge ihm durch die Alleen. Mit einer Lampe, die er in der Hand hält, beleuchtet er die Gräber. Vor einem Grab hält er an. Mit seiner Lampe erhellt er den unteren Teil des Grabes. Mit dem Finger zeigt er auf die Grabplatte. Ich beuge mich nieder. Ich lese:

ANDRE MAGNAN
geboren am . . . gestorben am . . .

Clément sagt:

»*Er liegt seit zehn Jahren hier.*«

Zehn Jahre? Ich verstehe nicht. Tot? Plötzlich werde ich mir der Situation klar bewußt. Das Grauen wütet in mir wie ein Zyklon. Ich presse meine Faust auf meinen Mund, um einen Schrei des Entsetzens zu unterdrücken. Meine Augen treten aus den Höhlen. Mein Blick trübt sich. Endlich gelingt es mir, zu schreien:

»Zu Hilfe! Zu Hilfe!«

Nacht überfällt meinen Geist. Ich falle nach vorn wie ein gefällter Baum. Meine Brüste berühren den kalten Grabstein. Ich verliere das Bewußtsein.

8

Am nächsten Morgen habe ich mich in meinem Bett wiedergefunden. Ich bin allein. Ich erinnere mich an das, was geschehen ist. Das Grauen hat mich gepackt. Wer hat mich hierher gebracht? Der Hals tut mir weh. Ich stehe auf. Ich sehe mich im Spiegel an. Ich sehe Spuren von Zähnen an meinem Hals. Es muß Clément gewesen sein, der mich hierher gebracht hat. Er hat mich . . . Mir wird übel. Ich weiß nicht, ob ich die Polizei benachrichtigen sollte, um zu sagen, daß Clément . . . Aber nein, man würde mir nicht glauben. Man würde mich auslachen. Man würde mich für verrückt halten. Das ganze Dorf weiß, daß ich Halluzinationen habe. Marie hat es überall herumerzählt. Aber warum habe ich Halluzinationen? Ja, warum?

Ich weine, ich ringe die Hände, während ich in meinem Zimmer umherlaufe. Ich murmle:

»André! André!«

Ich sehe ihn in meiner Erinnerung vor mir, so liebevoll, wie er mich in seine Zärtlichkeit einhüllt, und dann einen Augenblick später, sein Grab! Wir standen kurz davor, abzureisen, ich war dabei, mit ihm diesen verwünschten Ort zu verlassen, und jetzt stehe ich wieder da mit allen meinen Problemen, meiner Einsamkeit, zwischen diesen Spukmauern, deren Fluch mich zu Boden drückt.

Oh! Ich werde fortgehen. Ich will nicht hierbleiben. Ich werde allein abreisen. Ich weiß nicht, wohin ich gehen werde, aber ich will abreisen. Ich schlinge einen Seidenschal um meinen Hals, damit man nicht die Spuren von Zähnen sieht. Ich kleide mich an. Eine Schwäche überfällt mich. Ich muß mich wieder hinlegen. Ich habe Fieber. Marie wird den Doktor holen. Er wird mir Beruhigungsmittel geben. Ich möchte das Gedächtnis völlig verlieren, mich an nichts mehr erinnern, an nichts, sterben . . .

Ich bin lange Zeit krank gewesen. Ich habe fantasiert. Nach und nach bin ich wieder gesund geworden. Jetzt geht es mir wieder gut. Ich denke weniger darüber nach, was mit mir geschehen ist. Ich habe mich in mein Schicksal ergeben. Ich höre keine Stimmen mehr, die mich rufen. Hilfsbereite Menschen haben mich besucht. Man hat mir Bonbons gebracht, Apfelsinen. Man hat viele gute Worte für mich gehabt. Alte Schülerinnen haben mir von der Schulzeit erzählt, ich habe begierig zugehört und auf diese Weise mein ganzes Leben als Lehrerin wieder durchlebt, das ich völlig vergessen hatte. Sie haben mich geküßt; sie haben mein Zimmer mit Blumen gefüllt. Alles das war Balsam auf meine moralischen Wunden. Ich bin gestärkt daraus hervorgegangen.

Als ich wieder kräftig genug war, in die Küche hinunterzugehen, habe ich Marie gefragt, ob sie André Magnan gekannt hätte.

Sie sagt:

»Herrn Magnan? Aber sicher! Ihr Freund, der Lehrer aus der Stadt . . .«

Sie fügt hinzu:

»Er kam oft, um Sie zu besuchen. Er ist hier krank geworden. Dann ist er so plötzlich in dem Hotel, in dem er abgestiegen war, an einem Herzanfall gestorben. Man hat einen Zettel bei ihm gefunden, auf dem stand, daß er hier auf unserem Friedhof begraben werden wollte, um Ihrem Haus nahe zu sein.«

Sie hört auf zu sprechen, um nachzudenken. Dann fährt sie fort:

»Die Leute haben Sie für verlobt gehalten. Man war erstaunt, weil Sie alle beide älter geworden sind, ohne sich zu verheiraten. Man glaubte, daß es ein Verwandter von Ihnen wäre. Er war ein sehr netter Herr. Kann es sein, daß Sie ihn vergessen haben? Er hätte Sie bestimmt glücklich gemacht.«

Ich sage, mehr für mich selbst als für sie:

»Warum habe ich ihn nicht geheiratet?«

Marie schüttelt mißbilligend den Kopf. Ich erröte. Sie macht den Mund auf, um noch etwas zu sagen. Ich habe Angst davor, was sie sagen wird. Sie schweigt. Sie sagt nichts. Sie wagt es nicht, zu reden. Ich bin sicher, daß sie an meine unreine Ehe denkt, an Nizou. Sie hat nicht das Recht, darüber mit mir zu reden. Das geht sie nichts an. Das geht niemanden etwas an. Das ist eine Angelegenheit zwischen mir und meinem Gewissen. Wenn sie darüber spricht, werde ich sie zurückweisen. Wir schweigen alle beide. Wir sagen nichts. Sie denkt an Nizou, und ich auch. Unsere Gedanken berühren sich, ohne daß wir es nötig haben, zu sprechen. Es ist ein schändliches Geheimnis, das uns beschämt. Sie säubert das Geschirr und schlägt dabei die Augen nieder. Ich höre das Geräusch eines Autos. Marie sagt:

»Ein Auto hält vor unserem Haus.«

Die Glocke an der Tür läutet. Marie geht, um die Tür aufzumachen. Ich sehe einen Herrn, der von zwei Damen begleitet wird. Vor dem Bürgersteig sehe ich das Automobil. Es ist schwarz.

Der Herr kommt herein. Die Damen bleiben auf dem Bürgersteig stehen. Er wendet sich an mich und fragt:

»Guten Tag, mein Fräulein. Würden Sie mir bitte die Schlüssel geben?«

Ich antworte, ohne zu verstehen:

»Die Schlüssel? Welche Schlüssel?«

Marie vermittelt. Sie erklärt mir:

»Es handelt sich darum, das Haus gegenüber zu besichtigen. Der Herr ist Immobilienmakler.«

Sie wendet sich zu dem Herrn und sagt mit einer etwas sonderbaren Miene, die mich aufreizt:

»Entschuldigen Sie, sie hat das Gedächtnis verloren.«

Dann wendet sie sich an mich:

»Die Schlüssel sind im Schubfach links.«

Sie geht zum Wandschrank, wühlt in dem Schubfach, nimmt einen Bund Schlüssel heraus und gibt ihn mir.

Sie erklärt mir:

»Der Eigentümer des Hauses von gegenüber ist ins Ausland verreist, und er hat Sie als Nachbarin gebeten, die Schlüssel für den Fall von Besuchen aufzubewahren. Diese Damen sind Kunden.«

»Aha! Nun gut!«

Ich gebe dem erstaunten Herrn die Schlüssel. Er dankt. Dann geht er mit den Damen weiter. Sie überqueren die Straße und gehen zu dem Haus. Es ist ein sehr kleines Haus, hat aber immerhin zwei Türen und zwei Fenster. Es ist ein Doppelhaus. Zwei kleine Vorgärten trennen es von der Straße. Die Straße entlang führt ein Zaun, bestehend aus einem gemauerten Sockel und Eisenstäben im Abstand von zehn Zentimetern. In den Zaun sind zwei Eisengittertore eingelassen. Die zwei Vorgärten sind wiederum durch einen Querzaun mit einer Holztür getrennt. Um die beiden Häuser führt ein Weg herum.

Der Makler öffnet das linke Tor und betritt mit den Damen den Vorgarten. Sie gehen durch den Vorgarten und die drei Stufen hoch. Ich habe noch das Quietschen der verrosteten Eisenpforte im Ohr. Jetzt schließt er die verzierte Tür der Villa auf. Er betritt das Haus. Vor dem Eintritt drehen sich die beiden Damen auf dem Treppenabsatz um und blicken zu mir herüber, als ob sie mein Haus betrachten wollten. Beide Damen sind etwa dreißig Jahre alt. Die eine steht aufrecht und steif da wie ein Stock. Die andere ist ein wenig gebeugt und graziöser. Die Gesichter der beiden ähneln sich wie ein Ei dem anderen. Man könnte meinen, daß sie Zwillingsschwestern sind. Die eine mit der aufrechten Gestalt trägt ein schwarzes Samtband um den Hals. Auf diese Weise ist es bequem, sie zu unterscheiden. Sie haben beide eine spitze Nase, ein eckiges Kinn, zusammengepreßte Lippen, große Augen, winzige Ohren. Sie sind ziemlich hübsch, aber sie haben beide einen harten, stechenden Blick. Nachdem sie mein Haus inspiziert haben, betrachten sie mich, schütteln mißbilligend den Kopf und entschließen sich dann, ins Haus zu gehen.

Sie schließen die Tür hinter sich. In diesem Augenblick stoße ich einen Schrei aus. Blitzartig habe ich etwas gesehen – ich weiß nicht, was ich gesehen habe –, etwas Unerfreuliches, eine Erinnerung, die sich wie eine Zange um mein Herz geklammert hat. Ich kann mich nicht erinnern, was ich gesehen habe.

Marie spricht zu mir. Sie sagt:

»Der Besuch wird kurz sein. Das Haus ist klein. Links, auf

die Straße zu, ist eine Küche; das ist das Fenster, das Sie sehen. Hinter der Küche ist ein Zimmer. Und das ist alles. Rechts ist es ebenso. Eine Verbindung existiert nicht. Es ist für zwei kleine Haushalte gedacht, die beide eine Küche brauchen. Für eine größere Familie müßte man die Trennwand durchbrechen und eine der beiden Küchen umbauen, um daraus ein Wohnzimmer oder einen Salon zu machen. Die hinteren Zimmer gehen auf einen Garten hinaus, und hinter dem Garten ist Brachland. Die Mauer, die den Garten vom Brachland trennt, ist auf der rechten Seite des Hauses an einer Stelle eingestürzt. Man wird sie instandsetzen lassen. Wenn diese Damen das Haus kaufen, werden sie wahrscheinlich die Innenwand durchbrechen lassen, um zusammen zu leben.«

Ich höre Maries Geschwätz mit halbem Ohr zu. Ich blicke aus dem Fenster. Die Damen und der Makler kommen wieder heraus. Das ist schnell gegangen. Der Makler macht die Holztür auf, welche die beiden Vorgärten verbindet. Er zeigt den Damen den anderen Teil des Hauses. Sie treten ein und kommen sofort wieder heraus. Sie kehren zu ihrem Wagen zurück, und der Makler läßt sie einsteigen. Sie grüßen mich mit einem Kopfnicken. Ich erwidere den Gruß. Der Makler bringt mir die Schlüssel zurück. Er sagt:

»Das Geschäft ist abgeschlossen. Die Damen werden das Haus kaufen. Es hat ihnen gefallen. Sie werden die Trennwand durchbrechen lassen. Würden Sie die Güte haben, die Schlüssel noch eine Weile aufzubewahren? Man wird sie bald abholen.«

Er ist zufrieden. Leise fügt er hinzu:

»Das sind die Schwestern Tronchin. Sie kennen sie?«

Ich schüttle den Kopf. Er sagt:

»Die Zeitungen haben in der letzten Zeit viel über sie berichtet.«

»Ach?«

Er grüßt mich und steigt ins Auto. Das Auto entfernt sich. Ich sage zu Marie:

»Haben Sie von den Schwestern Tronchin gehört?«

»Ja«, sagt Marie. »Sie haben vor Gericht gestanden. Sie waren angeklagt . . .«

»Weswegen?«

»Ihre Schwester vergiftet zu haben. Man hat es ihnen nicht beweisen können. Man hat sie wieder freigelassen.«

Sie fügt hinzu:

»Sonderbare Nachbarinnen, die wir da bekommen!«

Das ist auch meine Ansicht.

Einige Tage sind vergangen. Die Schwestern Tronchin haben sich in dem Haus gegenüber mit ihren Möbeln eingerichtet. Dann haben sie einen Maurer kommen lassen, der eine Tür in der Trennwand der beiden Häuser angebracht hat. Ich habe die Hammerschläge gehört. Als das alles fertig war, haben sie mir einen Nachbarschaftsbesuch abgestattet. Die eine nennt sich Aglaé, die andere Zoé. Aglaé und Zoé Tronchin. Was für Namen! Zoé, das ist die mit dem Buckel. Sie haben mir ihr Unglück erzählt. Zusammen mit vier weiteren Schwestern wurden sie als *Sechslinge* geboren und waren eine Zeitlang berühmt. Ihre Eltern dachten daran, reich zu werden, indem sie ihre Kinder ausstellten. Aber eine von ihnen ist gestorben, weil sie im Bett durch die anderen erstickt wurde, die auf ihr lasteten. Eine zweite ist frühzeitig an einer Krankheit gestorben. Die dritte ist in einem Wasserbecken ertrunken. Sehr viel später, erst in der letzten Zeit, ist die vierte durch eine Vergiftung umgekommen. Aglaé und Zoé sind allein zurückgeblieben. Sie haben mir das Drama in allen Einzelheiten erzählt, die gerichtlichen Untersuchungen. Sie behaupten, daß sie unschuldig sind: Ihre Schwester, schon immer nervenschwach, habe Selbstmord begangen.

Ich habe sie zum Kaffee eingeladen: Kaffee, Kekse. Sie rühren den Kaffee mit nervösen Gesten ihrer langen, mageren Finger um. Sie sehen etwas wie Hexen aus, mit ihrer spitzen Nase, ihren harten, grausamen Augen. Manchmal schlagen sie in ihrer Unterhaltung einen herausfordernden

Ton an und machen Miene, sich zu streiten. Aber dann lächeln sie plötzlich wieder, wie auf ein schweigendes Abkommen hin, und sagen sich tausend Artigkeiten. Ich habe den Argwohn, daß sie sich verabscheuen, daß sie aber ihre wirklichen Gefühle hinter einer Maske mondäner Heuchelei verbergen. Sie scheinen nicht sehr gebildet zu sein. Wir führen eine banale Unterhaltung, die bald ins Stocken kommt. Sie fordern mir das Versprechen ab, sie zu besuchen. Aber ich werde nicht hingehen. Ich werde schon irgendeinen Vorwand finden. Ich werde Krankheit vorschützen. Ich habe keine Lust, vergiftet zu werden.

Ich hatte recht. Die Schwestern Tronchin können sich nicht riechen. Sie streiten oft. Ich höre ihr lautes Reden, selbst wenn mein Fenster geschlossen ist. Warum leben sie zusammen, wenn sie einander nicht leiden können? Sie gehen nicht zusammen aus. Sie gehen getrennt zum Markt.

Gerade jetzt, während sie sich streiten, glaubte ich herauszuhören, wie eine von ihnen den Namen eines Mannes aussprach: Herr Mayer. Ich habe am ganzen Leib gezittert. Mayer, das ist der Familienname meines Neffen Nizou. Marie hat es mir gesagt. Ich hatte diesen Namen auch in meinem intimen Tagebuch gesehen. Ich habe mein Manuskript auf dem Dachboden gesucht, um mich zu vergewissern. Ich habe es nicht gefunden. Ich weiß nicht, was daraus geworden ist. Ich muß mich verhört haben, oder es handelt sich wohl um einen anderen Mayer. Der Name ist so häufig. Wieso sollten sie Nizou kennen?

Nachdem ich mein Mittagsmahl zubereitet hatte und mich gerade an den Tisch setzen wollte, hat die Türglocke geläutet. Gleichzeitig ist die Haustür aufgegangen. *Nizou ist hereingekommen!*

9

Er trägt einen Koffer. Ich bin schreiend zurückgewichen.

»Gehen Sie fort! Gehen Sie fort!«

Ich habe einen Teller genommen und ihm an den Kopf geworfen. Die Erscheinung ist dem Wurfgeschoß ausgewichen.

Nizou hat gesagt:

»Was ist mit dir los, Tantine?«

Er stellt seinen Koffer hin und wirft sich auf mich. Er nimmt mich in seine Arme. Er küßt mich auf die Wangen, auf den Mund. Ich fühle seinen Körper an meinem. Ich fühle die Muskeln seiner Arme.

Ich schreie in unbeschreiblicher Erschütterung:

»Du lebst? Du lebst?«

Er sagt:

»Hast du denn geglaubt, ich wäre tot? Ich werde dir von meinen Reisen erzählen. Ich bin nach Paris gegangen, nach Monte Carlo. Ich habe flott gelebt. Ich habe beim Spiel verloren. Meine ganze Erbschaft ist zum Teufel: Futsch! Aber ich habe mich entschlossen, wieder ein ordentlicher Mensch zu werden, zu arbeiten. Ich werde die Kunstakademie besuchen. Du weißt, wie gern ich zeichne, male. Ich will Maler werden, ein berühmter, bestimmt. Ich werde dich malen. Ich werde Geld verdienen. Ich werde dir alles zurückzahlen, was du mir geliehen hast. Aber ich sehe, daß der Tisch gedeckt ist. Lade mich zum Mittagessen ein. Ich habe Hunger.«

Wir setzen uns an den Tisch. Ich hole mehr zum Essen: Konserven, Konfitüren. Nizou ißt wie ein Verhungerter. Ich sehe ihn an. Gott! Wie ist er schön! Unter dem Tisch sucht sein Fuß den meinen, drückt ihn. Er umklammert meine Beine mit seinen Füßen. Das reizt mich auf und entzückt mich. Seine Hand streichelt meine Hand, wenn ich ihm das Salz reiche. Wir sind wie zwei Verliebte. Ich reiße mich von dieser Illusion los, denn ich weiß, daß er mich nicht liebt. Wenn er mich liebte, wäre er zurückhaltender. Er würde mich weniger mit seinen Füßen streicheln. Es ist nur Taktik. Ich bin sicher, daß er Geld von mir will. Aber ich bin trotzdem glücklich. Ich liebe ihn. Ich habe nur den einen Gedanken: Er ist zurückgekommen. Es ist Nizou. Er lebt. Mein Blut jagt durch meine Adern. Ich lächle voller Glück. Nizou ist da, mit mir, an meiner Seite, für immer. Ich liebe ihn. Gleichzeitig habe ich Angst, ihn zu verlieren. Wenn er wieder auf Reisen ginge? Aber nein, er hat kein Geld mehr. Übrigens kündigt er mir an, daß er sich hier niederlassen will, im Dorf, weil es in der Stadt zuviel Versuchungen gibt; man wird dort zu sehr abgelenkt. Er wird im Dorf bleiben. Ich schwimme in einem Freudenmeer. Er will, daß ich ein Zimmer für ihn suche, im Dorf. Bei mir im Hause zu wohnen, wäre nicht angebracht. Die Leute würden klatschen. Ich verspreche ihm, ein Zimmer für ihn zu suchen, nicht zu weit von hier. O ja, ich werde eines für ihn finden, und wenn ich Himmel und Hölle in Bewegung setzen müßte. Ich werde seine Unterkunft bezahlen. Ich werde ihm soviel Geld geben, wie er will. Aber trotzdem nicht zuviel, aus Angst, daß er es dann in der Stadt durchbringt. Soeben bittet er mich, ihm etwas Geld zu leihen, damit er seine ersten Ausgaben bestreiten kann. Er wird es mir zurückzahlen, sobald er sein erstes Bild verkauft hat. Er ist völlig am Ende. Er hat sich hinter mich gestellt, während er mich um Geld bittet, und er schmiegt sich an mich. Er küßt mich auf den Nacken. Ich bin trunken vor Glück. Ich hole meine Tasche und gebe ihm ein paar Geldscheine. Es ist zuviel, aber ich will beim erstenmal nicht geizig erscheinen. Das nächste Mal werde ich ihm weniger geben.

Als er das Geld hat, hört er auf, mich zu küssen. Er wird gleichgültig, er setzt eine kalte Miene auf. Ohne sich weiter mit mir zu beschäftigen, geht er im Garten spazieren. Er raucht; er pfeift vor sich hin.

Ich suche Marie auf. Ich sage ihr, daß mein Neffe zurückgekommen ist und daß er ein Zimmer sucht. Sie erkundigt sich beim Lebensmittelhändler. Der Lebensmittelhändler empfiehlt uns ein Zimmer in einem Haus am Eingang des nächsten Dorfes, das sich an unseres an der Bahnhofsseite anschließt. Die Besitzer bewohnen zwei Räume im Erdgeschoß. Sie vermieten ein möbliertes Zimmer unter dem Dach, wohin man über eine äußere Steintreppe ohne Geländer gelangt. Es handelt sich um ein großes, helles Zimmer, mit gut gewachstem Parkettfußboden und einer Glaswand, als Studio für einen Künstler gut geeignet. Ein Baldachin über dem Bett, er wird von gedrechselten Säulen aus Eichenholz getragen. Ein bequemes Sofa, mit rotem Rips bezogen. Ein Tisch mit einer sehr sauberen gelben Tischdecke mit Blumenmuster. Ein Bücherregal, ein solider Kohleofen für den Winter. Alles macht einen guten Eindruck, es gefällt mir. Ich hole Nizou und zeige es ihm. Auch Nizou gefällt es. Wir werden uns über die Miete einig. Nizou richtet sich mit seinem Koffer ein. Marie geht fort. Ich bleibe einen Augenblick mit Nizou allein. Ich sage ihm, daß ich selber an jedem Morgen kommen werde, um sein Zimmer sauber zu machen. Er ist gern damit einverstanden. Er macht es sich bequem. Er zieht seine Jacke aus, schleudert sie in die andere Ecke des Zimmers auf den Fußboden, die Krawatte hinterher. Ich mache ihm Vorwürfe; ich hänge die Jacke und die Krawatte über die Stuhllehne. Er öffnet seinen Koffer, um seinen Schlafanzug herauszunehmen. Ich bringe den übrigen Inhalt des Koffers im Wandschrank unter. Wir beschließen, daß er seine Mahlzeiten bei mir einnehmen wird. Er sagt, daß er müde sei und sich ausruhen will. Ich lasse ihn allein. Vor meinem Weggang küßt er mich, spontan, ohne mein Zutun. Er ist liebevoll. Morgen wird er ernsthaft an die Arbeit gehen. Er hat es mir versprochen.

Ich bin glücklich. Mein Neffe lebt. Er lebt! Und ich liebe ihn!

Die Schwestern Tronchin sind wiedergekommen, um mich zu besuchen. Sie bestehen darauf, daß auch ich sie besuche. Ich sage, daß ich viel Arbeit hätte, daß ich keine Zeit habe. Sie protestieren laut. Es gelingt ihnen, mir ein halbes Versprechen abzuringen, daß ich sie an einem der nächsten Tage an einem Nachmittag besuchen werde. Wir haben über dieses und jenes geschwatzt. Ihr Besuch regt mich auf. Ich habe für diese beiden Frauen nichts übrig. Es umgibt sie ein Geheimnis. Sie sind irgendwie undurchsichtig. Dem äußeren Anschein nach sind sie nüchtern und kalt, aber ich ahne, daß sie leidenschaftlich und voller Leben sind. Welche geheimen Pläne haben sie ausgeheckt? Was haben sie hier vor? Haben sie ihre Schwester vergiftet? Zu was sind sie fähig? Ich wittere Gefahr. Ich fühle mich in ihrer Gegenwart nicht wohl. Sie sind mir zuwider wie Spinnen. Ich habe den Eindruck, daß sie mich in ihre Netze einspinnen wollen. Trotzdem verberge ich meine wahren Gefühle vor ihnen. Ich lächle ihnen zu. Ich sage ihnen nicht, daß ich sie streiten gehört habe. Immerhin möchte ich ganz gern wissen, warum sie sich streiten. Sie sind böse, heuchlerisch. Sie gehen wie die Zierpuppen mit ihren Tassen um, aber sie haben kräftige, knochige Hände, mit denen sie jemanden erwürgen könnten. Ich finde sie widerwärtig.

Als sie sich anschickten, wieder zu gehen, ist Nizou gekommen. Sein Erscheinen, das mir gar nicht paßte, hat eine Sensation hervorgerufen. Die beiden Schwestern sehen Nizou entzückt an. Mit welchem Recht sehen sie ihn so an? Sie betrachten ihn mit großen Augen. Offensichtlich halten sie ihn für einen schönen Mann.

Nizou sagt:

»Stell mich vor.«

Er ist angenehm berührt, sie zu sehen. Ich muß ihn vor diesen Hexen warnen.

Ich stelle mit höflicher, aber kalter Miene vor. Mit einemmal bleiben sie eine Stunde länger. Ich habe geglaubt, daß sie niemals wieder gehen würden. Nizou hat von seinen Reisen erzählt. Geht sie das etwas an? Schließlich sind sie aufgestanden, und das, was ich befürchtete, ist eingetreten: Sie haben Nizou eingeladen, sie zusammen mit mir zu besuchen. Nizou hat zugesagt, hat versichert, daß er sehr gern käme.

Er begleitet sie nach Hause. Er geht mit ihnen über die Straße. Das gehört sich nicht. Wenn man zwei Damen zum erstenmal trifft, begleitet man sie nicht nach Hause. Ich habe einen Augenblick lang sogar geglaubt, daß er ihre Wohnung betreten will. Nein: Er verbeugt sich elegant vor ihnen. Sie gehen die Stufen hoch. Auf dem Treppenabsatz angekommen, drehen sie sich um, lächeln Nizou an. Nizou lächelt zurück. Ich werde wütend. Wie lange soll das noch dauern? Endlich schließen sie ihre Türe, und Nizou kommt zurück. Ich sage ihm sofort, daß die Schwestern Tronchin zwei Xanthippen sind, Giftmörderinnen, dies und das. Ich rede fünf Minuten lang, um ihn abzuschrecken. Er hört mir nicht zu. Er sagt:

»Ich liebe Fräulein Zoé.«

Ich bin sprachlos. Ich schreie:

»Was? Die Bucklige?«

Er erwidert laut:

»Bucklig? Du übertreibst, Tantine. Sie hat einfach einen biegsamen Rücken, während ihre Schwester steif ist. Sie ist hübscher als ihre Schwester. Sie hat auch etwas Geld. Das hat sie mir angedeutet, während ich sie hinüberbegleitete. Ich muß mich einrichten. Ich werde mich an sie ranmachen und sie heiraten.«

Während ich diese Worte höre, fühle ich, wie mir alles Blut zu Kopfe steigt. Ich habe Angst, ohnmächtig zu werden.

Ich schreie:

»Was?«

»Ich habe beschlossen, die erste Frau zu heiraten, die ich treffe, die etwas hübsch und jung ist und Geld hat. Diese oder eine andere, was kommt es darauf an?«

»Ist das ein Scherz?«

»Aber nein, das ist sehr ernst.«

Wir haben uns gestritten. Ich habe ihm gesagt, daß man sich nicht Leuten an den Hals wirft, die man nicht kennt. Ich werde Auskünfte über sie einholen und garantiere ihm, daß sie schlecht sein werden. Ich werde mich an eine Agentur wenden. Ich werde Himmel und Hölle in Bewegung setzen, um ihm zu beweisen, daß die Schwestern Tronchin üble Weiber sind, Kriminelle. Er wird unglücklich werden. Diese Ehe ist unmöglich, unmöglich.

Er hat mir geantwortet, daß man niemals heiraten könnte, wenn man überall etwas Schlechtes suche. Vollkommen sei keiner. Kurz, er wird Zoé heiraten, wenn sie einwilligt. Und sie wird ihn nehmen, daran sei kein Zweifel. Sie würde es in Kauf nehmen, einen Arm oder ein Bein einzubüßen, um ihn zu heiraten. Sie hat ihn verzaubert, diese Hexe. Sie hat ihn hypnotisiert. Ich war wie vom Schlag gerührt. Vor kaum einer Stunde hat er sie noch nicht gekannt. Er hatte sie noch nie zuvor gesehen. Und jetzt will er sie heiraten! Ich glaube, daß er das sagt, um mich leiden zu lassen. Das ist seine Art. Aber darauf falle ich nicht herein. Ich sage mit lässiger Miene:

»Nun, dann heirate sie doch; was geht mich das an?«

Er macht ein erstauntes Gesicht, daß ich so schnell nachgebe, dann fängt er an zu lachen. Er sagt:

»Tantine, jetzt spielst du die Gleichgültige. Ich weiß genau, daß du innerlich kochst.«

Er hat mich durchschaut! Ich werde rot. Er sagt, daß er fortgeht, daß er nach Hause geht. Er will mich vor dem Weggang küssen. Ich stoße ihn mit Abscheu zurück. Ich weise ihm verächtlich die Tür. Ich sage:

»Heirate doch deine Bucklige, geh!«

Achselzuckend ist er davongegangen. Als ich allein bin, ringe ich verzweifelt die Hände. Ich hoffe, daß sie sterben wird, daß sie der Blitz erschlägt. Im äußersten Fall werde ich sie mit eigener Hand umbringen. Ich gehe hin und her wie eine Verrückte. Was kommt da auf mich zu, mein Gott! Ich stand vor meinem Glück, jetzt finde ich mich in der Hölle. Schließlich lasse ich mich schluchzend zu Boden fallen. Ich bin unglücklich wie ein geprügeltes Tier. Ich flüstere:

»Nizou, Nizou, Nizou! Verlaß mich nicht, heirate sie nicht!«

Nizou besucht Zoé alle Tage. Er geht mit den beiden Schwestern spazieren, manchmal geht er mit Zoé allein aus. Die Leute sehen sich nach ihnen um. Sie kompromittieren sich. Bald wird es offiziell sein. Sie können nicht mehr zurück. Ich leide, ich leide.

Es war soweit, um das Aufgebot zu bestellen, als ... Szenenwechsel. Nizou heiratet jetzt Aglaé! Offenbar findet er Zoé nun doch bucklig. Er hat es mir gesagt. Es scheint auch, daß Aglaé viel reicher ist als ihre Schwester: Ein Onkel hat ihr sein Vermögen vermacht. Nizou ist, ohne sich um Zoés Herz zu kümmern, in das andere Lager übergewechselt. Ich bin entrüstet. Nicht, daß mir Zoé leid täte, sondern weil mich der Zynismus von Nizou anwidert.

Nizou geht jetzt mit Aglaé spazieren. Niemals mit Zoé. Zoé sieht sie vorübergehen, während sie ihren Vorhang hebt. Ich sehe Zoés giftigen Blick. Meine Augen sind voller Tränen. Diese beiden Schwestern sollen verflucht sein! Würden sie doch den Tod finden, sie, die in mein Leben eingedrungen sind, um mir eine nach der anderen mit ihren Zähnen das Herz zu zerreißen!

Wenn Nizou nicht da ist, streiten sich die Schwestern Tronchin. Ich habe von ihnen furchtbare Schreie gehört, mit dem Krach von zerbrochenem Geschirr. Ich glaube, daß sie sich Teller an den Kopf werfen. Schließlich haben sie den Maurer kommen lassen. Er hat die Öffnung zugemauert, die ihre Häuser verband. Er hat die Öffnung mit einem Bollwerk von Ziegeln zugemauert. Das ist allgemein bekannt: Er hat es selbst gesagt. Im Dorf spricht man nur noch davon. Man macht sich offen darüber lustig. Der Briefträger erzählt, daß er auf der Straße beim Vorübergehen gehört habe, wie sich die Schwestern die schlimmsten Gewalttätigkeiten angedroht hätten. Seitdem sie die Öffnung durch den Maurer haben zumauern lassen, hat man nichts mehr gehört. Sie haben sich verfeindet; sie leben jede für sich. Die Leute reden, reden . . . Man spricht nur noch von den Schwestern Tronchin und von Nizou. Marie berichtet mir immer über das, was so geredet wird. Wenn ich Nizou sehe, versuche ich, ihn von Aglaé abzubringen, aber ich sehe ihn nur selten. Er verlangt kein Geld mehr von mir. Ich glaube, daß Aglaé ihm welches gibt.

Nizou hat es gewagt, Geld von mir zu verlangen, um einen Ring für Aglaé zu kaufen. Ich habe es entschieden abgelehnt. Dann habe ich festgestellt, daß man in meinem Schubfach gewühlt hat. Mein ganzes Geld ist verschwunden. Nur er kann es sein, der das getan hat! Ich werde es nicht der Polizei melden. Es ist schon genug Skandal. Ich bin verzweifelt bei dem Gedanken, daß sie einen Ring haben wird, der mit meinem Geld gekauft worden ist. Ich habe im Schubfach ein Sparbuch: Ich habe eine große Summe auf meinem Sparkonto. Meine Vierteljahrespension ist fällig. Ich stehe nicht ohne Mittel da. Ich will Nizou nicht mehr sehen, niemals.

Nizou hat geläutet. Als ich ihn vor mir stehen sah, habe ich ihn einen Dieb genannt. Er hat es zunächst abgestritten, dann zugegeben. Er wird es mir später zurückgeben. Ich habe ihm gesagt, daß er fortgehen soll, daß ich ihn nicht mehr sehen möchte. Er hat mir geantwortet, daß ich idiotisch wäre und daß ich bald wieder zu seinen Füßen liegen und um Küsse betteln würde. Ich habe die Achseln gezuckt. Er hat mich küssen wollen, um Frieden zu schließen. Aber ich habe widerstanden, und ich habe gesehen, daß er ärgerlich war. Ich bin stolz auf meinen Sieg.

An diesem Abend ein Versöhnungsmahl. Ich bin eingeladen worden, aber ich werde nicht hingehen. Ich habe so hart abgelehnt, daß man nicht mehr darauf bestanden hat. Damit die Party fröhlicher wird, hat Aglaé zwei Herren eingeladen, unseren Nachbarn, den Friedhofswärter, der Witwer ist, sowie seinen Sohn Clément. Der Vater hat abgelehnt: Er wollte nicht kommen. Der Sohn ist hingegangen. Aber eines hat mich absolut verblüfft: Zoé wird dabei sein, *sie!* Wie hat sie sich nur herumkriegen lassen? Hat sie vergeben? Hat sie resigniert? Oder vielmehr . . . Ich erinnere mich an den Vers von Racine: *Ich umarme meinen Rivalen – um ihn zu erstikken.*

Wenn ich Aglaé wäre, würde ich mißtrauisch sein.

10

Sie sind da, zu viert: Aglaé, Nizou, Clément und Zoé. Sie feiern. Ich höre ihr Lachen und die Champagnerpfropfen knallen. Man hat ein großes Diner aus der Stadt bringen lassen. Während sie ihr Fest veranstalten, ringe ich die Hände vor Verzweiflung. Ich wälze mich auf dem Boden in meinem Schmerz. Die Eifersucht verzehrt mich. Ich stehe wieder auf und gehe zum Fenster, um zu sehen, ob sie fortgehen. Ich blicke auf meine Uhr, um zu wissen, wie spät es ist. Die Stunden ziehen sich hin. Die Zeit will nicht vergehen. Ich bin ganz allein mit meinem Schmerz. Ich zerkratze mir die Brust mit den Fingernägeln. Ich verschließe meinen Mund mit der Faust, damit ich meinen Schmerz nicht hinausschreien kann. Ich schluchze. Ich werfe mich auf den Boden. Ich springe auf, um durch das Fenster zu blicken. Ich sehe das Haus von Aglaé: das linke. Dort sind sie, in der Küche. Das Fenster der Küche ist erleuchtet. Sie essen und trinken. Sie sind glücklich. Nizou wird Aglaé heiraten. Er wird vielleicht mit ihr fortgehen. Ich werde ihn nicht mehr sehen. Er liebt mich nicht. Niemals werde ich seine Liebe kennenlernen. *Aglaé* wird sie haben. Aglaé! Aglaé! Aglaé! Aglaé! *Aglaé!* Das Schwert der Eifersucht durchbohrt mein Herz. Es schlägt Mitternacht.

Seit einer Stunde höre ich nichts mehr. Was ist los? Das Licht der Küche ist erloschen. Sie sind in das andere Zimmer gegangen, den Raum, der auf den Garten hinter dem Haus hinausgeht. Was tun sie? Was geschieht? Warum geht Nizou nicht fort?

Eine Uhr schlägt. 1 Uhr morgens. Nizou ist noch nicht fortgegangen.

Da sind sie endlich. Sie gehen fort. Ich habe mein Licht ausgeschaltet. Ich blicke durch den Spalt meiner halb geöffneten Vorhänge. Die Straßenlampe beleuchtet die Straße. Sie kommen durch den Vorgarten heraus. Es sind nur drei. Zoé ist im Haus geblieben. Nizou ist umringt von Aglaé und Clément. Nizou hält einen Regenschirm, und alle drei verbergen sich darunter. Sie hängen sich alle drei ein. Es regnet ein wenig. Nizou hält den Schirm nach vorn gebeugt aufgespannt, als ob ein starker Wind wehte. Er schwankt. Hat er vielleicht zuviel getrunken? Ich lausche, um zu hören, was sie sagen, aber sie entfernen sich schweigend. Man begleitet ihn nach Hause. Sollte er krank sein? Warum ist Zoé im Hause ihrer Schwester geblieben? Warum geht sie nicht in ihre Wohnung zurück? Jetzt, da die Häuser nicht mehr miteinander verbunden sind, kann sie nur durch die Vorgärten in ihr Haus gelangen. Ich habe sie nicht vorbeigehen sehen.

Nach einer Viertelstunde kommen Aglaé und Clément zurück. Clément begleitet Aglaé galant bis vor ihre Tür. Aglaé geht in ihre Wohnung. Clément fängt an zu kriechen. Er überquert kriechend die Straße. Ich rufe ihn. Ich möchte, daß er mir Einzelheiten über den Abend erzählt. Er hört mich nicht. Kriechend dringt er in den Friedhof ein.

Ich bin in meiner Küche eine Stunde lang auf und ab gegangen. Die Uhr schlägt: Es ist 2 Uhr morgens. Plötzlich habe ich mich entschlossen, mit Nizou zu sprechen. Ohne Rücksicht auf den Anstand. Übrigens ist nicht eine Katze auf der Straße zu sehen. Alle Welt schläft. Und ich weiß, daß die Hauswirte von Nizou nicht da sind. Sie sind für einige Tage verreist; Nizou hat es mir gesagt. Er ist allein im Haus. Niemand wird mich kommen oder gehen sehen. Ich muß ihm ins Gewissen reden, ich muß diese absurde Heirat verhindern. Morgen könnte es zu spät sein. Ich habe einen Zweitschlüssel zu seinem Zimmer. Ich benutze ihn, wenn ich in seiner Abwesenheit sein Zimmer saubermache.

Ich nehme den Schlüssel. Ich binde ein Kopftuch um, ich ziehe meinen Regenmantel an. Ich gehe hinaus. Draußen verstecke ich mein Gesicht hinter dem Kopftuch. Ein feiner Regen fällt. Auf der Straße überlege ich, was ich ihm sagen werde. Wenn er schläft, werde ich ihn aufwecken. Er wird wütend werden. Das schadet aber nichts. Ich werde ihm die Augen öffnen über die Dummheit, die er begehen will, über den Irrsinn seines Vorhabens. Mag er heiraten, wen er will, aber keine von diesen Hexen, diesen Ausgeburten der Hölle. Sein Glück steht auf dem Spiel, sein ganzes Lebensglück.

Ich gehe an der Friedhofsmauer entlang. Ein wenig später, am Kreuzweg der Kirche, sehe ich das Haus, in dem Nizou wohnt. Alles ist dunkel. Sein Fenster ist nicht erleuchtet. Er muß sich hingelegt haben. Sicher schläft er. Dann werde ich ihn aufwecken. Ich komme dem Haus näher, ich gehe die Steintreppe hoch. Ich klopfe leise an die Tür. Niemand antwortet. Ich stecke den Schlüssel ins Schlüsselloch. Ich trete ein. Im Zimmer rufe ich:

»Nizou! Nizou!«

Keine Antwort.

Ich wage nicht, zu laut zu rufen. Ich taste mit der Hand an der Wand entlang, um den Lichtschalter zu finden. Ich finde ihn. Ich mache Licht. Mein erster Blick gilt dem Bett von Nizou. Nizou ist fest eingeschlafen, die Decke hat er hochgezogen bis zum Hals. Ich setze mich auf den Stuhl, über dessen Rückenlehne Jacke und Hose sorgfältig zusammengelegt hängen.

Ich sage:

»Nizou!«

Er wacht nicht auf. Ich rufe:

»Nizou!«

Er rührt sich nicht.

Schließlich schreie ich:

»Nizou!«

Keine Reaktion. Keine Antwort.

Ich springe auf. Ich schüttele Nizou. Ich kneife ihn. Er bleibt regungslos. Das ist doch nicht möglich! Ich schüttle ihn mit aller Kraft und schreie in sein Ohr. Er rührt sich nicht. Sein Gesicht ist verzerrt. Ich lege meine Hand auf seine Stirn: Sie ist eiskalt. Ein Schauer läuft mir den Rücken herunter. Auf dem Nachttisch sehe ich eine kleine Flasche und ein Glas. Auf dem Fläschchen ist ein rotes Etikett. Zu Hilfe! Nizou hat sich vergiftet! Warum? Wie? Ich fühle, wie mich der Wahnsinn überfällt. Ich darf nicht fallen, ich darf nicht ohnmächtig werden. Vielleicht kann man ihn noch retten. Ein Gegengift . . . Schnell, einen Arzt!

Ich renne die Treppe hinunter. Unten klopfe ich bei den Hauseigentümern. Dann erinnere ich mich, daß sie verreist sind. Ich laufe wie eine Verrückte auf die Straße. Ich laufe die Mauer entlang.

Im Laufen erinnere ich mich an die Kleider von Nizou, die so wohlgeordnet auf dem Stuhl lagen. Gewöhnlich wirft er sie achtlos auf den Fußboden. Ich fand sie immer so, auf dem Boden verstreut, wenn ich morgens sein Zimmer in Ordnung brachte und er noch im Bett lag. Niemals hat er sie auf den Stuhl gelegt. Das ist unverständlich, falls nicht . . .

Plötzlich erinnere ich mich an den Weggang des Trios, nach dem Fest bei Aglaé: Nizou umgeben von Clément und Aglaé, den Regenschirm nach vorn geneigt, um gegen den Wind anzukämpfen. Es war aber gar nicht windig.

Entsetzlich! Sie sind es, die ihn vergiftet haben, die Giftmörderinnen! Sie haben ihre Schwester vergiftet. Sie müssen noch einen Rest von dem Gift gehabt haben. Aber nein:

Aglaé kommt als Mittäterin nicht in Frage. Sie stand vor einer Heirat mit Nizou. Sie hatte keinen Grund, ihn umzubringen. Zoé ist es, die Eifersüchtige, die Viper, die sich rächen wollte, weil er sie verlassen hat. Sie hat ihre Schwester vor vollendete Tatsachen gestellt. Sie hat Gift in die Tasse von Nizou auf dem Nachttisch gegossen. Er hat getrunken, und er ist hingefallen. Hat er gelitten? Hat er sich vor Schmerzen gekrümmt? Deswegen also habe ich eine Stunde lang, von Mitternacht bis 1 Uhr morgens, nichts mehr gehört. Sie mußten sich mit leiser Stimme verständigen, um ein Mittel zu finden, den Skandal zu vermeiden. Clément hat ihnen versprechen müssen, seine Zunge zu hüten. Er hat ihnen geholfen, einen Plan zu entwerfen. Ich durchschaue alles, als wenn ich dabeigewesen wäre. Zoé hat die Kleidung von Nizou angelegt: Sie ist in Gesellschaft der beiden anderen fortgegangen, den Kopf hinter dem Regenschirm verborgen, nach vorn gebeugt nicht wegen des Windes, sondern wegen ihres Bukkels. Das alles ist offensichtlich gemacht worden, damit ich, wenn Nachforschungen angestellt würden, versichern sollte, daß ich Nizou lebend zusammen mit ihnen habe fortgehen sehen. Sie haben natürlich nicht den geringsten Zweifel gehegt, daß ich hinter meinem Fenster verborgen spioniert habe. Nach einer Viertelstunde sind Aglaé und Clément zurückgekommen. Sie sind vor meinem Haus vorbeigegangen, damit ich sie sehe. Zoé ist inzwischen hinten hinausgegangen, durch das Brachland. Sie ist in ihr Haus durch die defekte Mauer gelangt.

Dann haben sie eine Zeitlang gewartet. Als sie geglaubt haben, daß ich schlafen gegangen bin, getäuscht durch ihr Theater, hat die wirkliche Arbeit begonnen. Sie haben alle drei Nizous Leiche nach Hause geschafft, und zwar hinten über das Brachland, haben ihn aufs Bett gelegt und ihn zugedeckt. Sie haben Nizous Kleider auf den Stuhl gelegt, ohne zu ahnen, daß sie damit ihr Verbrechen kennzeichneten. Sie haben das Giftfläschchen auf den Nachttisch neben das Glas gestellt, nachdem sie wahrscheinlich ihre Fingerabdrücke mit einem Taschentuch abgewischt haben. Dann sind sie nach Hause gegangen, ohne sich sehen zu lassen.

Oder das Ganze ist vielleicht *vorher* geschehen, zwischen Mitternacht und 1 Uhr, während dieser Stunde des Schweigens, die mich so sehr beunruhigt hat. Vielleicht hat Clément die Leiche allein fortgeschafft. Stark genug ist er dazu. Was spielt das auch für eine Rolle? Das Gericht wird es herausfinden. Ich werde sie anzeigen . . . Ich . . . Sie alle sind Komplizen. Darum war Zoé bereit, an dem Essen teilzunehmen! Was für eine Rache! Wie muß sie innerlich gelacht haben.

Wo gibt es einen Arzt? Ich erinnere mich plötzlich, daß wir im Dorf keinen Arzt haben. Marie hat es mir gesagt. Man muß telefonieren, um einen aus der Stadt kommen zu lassen. Wo ist das Telefon? Ich muß einen Ladeninhaber aufwecken: manche haben Telefon. Ich sehe das Geschäft des Apothekers. Da ist eine Klingel. Ich klingle. Ich schlage mit der Faust an die Tür, auch auf den eisernen Rolladen, um Lärm zu machen. Schnell, soll er sich doch beeilen, herunterzukommen. Damit er Nizou rettet, wenn es überhaupt noch eine Hoffnung gibt, ihn zu retten. Ich rufe, ich schreie, ich klingle wieder. Ein Fenster im ersten Stock wird geöffnet. Ein Mann tritt auf den Balkon. Er ist im Schlafrock.

»Wer ist da?«

Ich rufe ihm zu, daß man meinen Neffen ermordet hat, daß man ihn vergiftet hat. Ob er ein Mittel hat? Vielleicht ist er noch nicht tot? Er soll sich anziehen. Er soll herunterkommen. Es muß aber schnell gehen.

Er sagt:

»Ich komme herunter. Ich muß nur noch meinen Mantel holen.«

Kurz darauf kommt er herunter. Ich erkläre ihm alles noch einmal. Meine Stimme klingt verängstigt. Er rührt sich nicht. Ich sage ihm, daß es eilig ist. Er fragt:

»Sie sind Fräulein Vermot, nicht wahr?«

»Ja, ja.«

»Wieviel Neffen haben Sie?«

»Einen einzigen«, sage ich verdutzt.

»Es handelt sich also um . . . wie hieß er doch gleich? Warten Sie: Denis . . . Denis . . . Ich erinnere mich nicht mehr an seinen Familiennamen.«

»Denis Mayer«, sage ich.

»Ja, so hieß er, der in diesem einzelstehenden Haus wohnte, da unten, nach der Mauer des . . .«

»Ja, ja, das ist es. Kommen Sie schnell, laufen wir.«

»Sie haben ihn starr vorgefunden, kalt, in seinem Bett, eine Giftflasche auf dem Tisch.«

»Aber ja, ich bringe mich ja schon um, Ihnen das zu erklären. Kommen Sie schnell, Sie müssen sehen, ob sich noch etwas tun läßt.«

Ich ziehe ihn am Arm, damit er endlich mitkommt. Er fährt gelassen fort:

»Alle Welt hat davon gesprochen. Es hat großes Aufsehen erregt. Die Zeitungen haben darüber gesprochen. Es sind Nachforschungen angestellt worden.«

»Was? Was sagen Sie da?«

Ich sehe ihn mit großen Augen an. Er erzählt weiter:

»Man hat ihn begraben.«

»Wieso?«

»Sie haben die Polizei alarmiert. Sie haben die Schwestern Tronchin beschuldigt, ihn vergiftet zu haben. Die offizielle Untersuchung hat nichts ergeben. Die Angelegenheit ist zu den Akten gelegt worden. Ja, das ist alles wirklich passiert, das ist wahr; nur mit dem Unterschied, daß es nicht heute geschehen ist, wie Sie zu glauben scheinen, sondern vor mehr als einem Jahr, verstehen Sie?«

Ich sehe ihn an, ohne sprechen zu können. Kein Laut dringt aus meiner Kehle, obwohl mein Mund weit offen steht.

Er fügt hinzu, während er den Kopf schüttelt:

»Alle im Dorf wissen, daß Sie seit einiger Zeit Halluzinationen haben. Gehen Sie schlafen, arme Frau, und wenn ich Ihnen einen guten Rat geben darf, gehen Sie zu einem Arzt. Bevor Sie aber zu Bett gehen, trinken Sie eine große Tasse

Lindenblütentee, dann können Sie besser schlafen. Das Haus, von dem Sie sprechen, steht längst leer: es ist ausgebrannt. Und noch ein Rat: Stören Sie die Leute nicht um 2 Uhr morgens im Schlaf; das könnte Sie teuer zu stehen kommen, wenn es zu oft vorkommt.«

Er wünscht mir noch eine gute Nacht, schließt seine Tür und verschwindet. Ich wende dem Dorf den Rücken zu und gehe die Straße in entgegengesetzter Richtung. Das Haus ausgebrannt? Nizou begraben? Das ist nicht wahr, das ist nicht wahr! Das hat er nur gesagt, weil er sich nicht stören lassen wollte.

Ich habe Nizou in seinem Zimmer gesehen. Ich habe ihn berührt. Er hat mehrere Tage mit mir zusammengelebt. Ich spüre noch seine Küsse auf meinem Mund, seinen Duft an mir. Ich komme vor Nizous Haus an. Ich bleibe verstört stehen: das Dach ist eingestürzt; die Fensterläden hängen halb verkohlt herunter. Ich steige die Steintreppe hoch. Über dem Zimmer ist der offene Himmel; es regnet herein. Es ist kein einziges Möbelstück mehr da, kein Bett. Leer. Das ganze Haus ist leer, verlassen. Ich rufe:

»Nizou! Nizou!«

Ich will meinen Augen nicht trauen. Ich stürze nach draußen. Mein Verstand kommt ins Wanken. Ich laufe. Ich bleibe vor dem Gitter des Friedhofes stehen. Ich versuche am Gitter zu rütteln. Es widersteht. Ich rufe:

»Nizou! Nizou!«

Ich blicke ängstlich durch das Gitter. Ich sehe die Gräber. Jenseits des Gitters sehe ich Clément, der auf mich zukriecht. Entsetzt laufe ich wieder los; ich stürze nach Hause. Meine Bestürzung verwandelt sich in Mut. Ich kann dieses Leben nicht mehr ertragen. Ich will sterben, ich auch. Ich suche einen Strick. Ich finde einen im Wandschrank. Ich mache einen Knoten am Ende. Ich schiebe den Tisch an die Wand. In der Wand in der Nähe der Decke steckt ein großer Nagel. Ich steige auf den Tisch. Ich befestige den Strick am Nagel. Ich mache eine Schleife am Ende des Strickes und stecke meinen

Hals in die Schlinge. Mit dem Fuß versuche ich, den Tisch wegzustoßen. Die Tür öffnet sich. Clément erscheint. Er sagt:

»Nicht so, meine Liebe! Das ist verboten.«

Es gelingt mir, den Tisch umzuwerfen.

Ich hänge im Leeren . . .

Clément hat den Strick durchgeschnitten. Seine Zähne haben mich aus meiner Ohnmacht aufgeweckt. Er ist die ganze Nacht bei mir geblieben. Ich habe versucht, aufzustehen, um Selbstmord zu begehen. Er hat mich daran gehindert. Ich habe geweint, geschluchzt. Das hat mir gutgetan. Als ich ein wenig ruhiger geworden bin, habe ich Clément gebeten, mir zu sagen, was an meinem Gedächtnisverlust schuld ist und warum ich Halluzinationen hatte. Er hat mir geantwortet:

»Ich habe es Ihnen schon gesagt.«

»Ich habe es aber vergessen.«

»Kann man so etwas vergessen?«

Ich habe ihm erklärt, daß ich nach seiner Enthüllung ohnmächtig geworden sei, erschlagen vor Entsetzen, und daß ich mich, nachdem ich wieder zu mir gekommen war, an nichts erinnern konnte.

Er hat mir das geglaubt, vor allem, als ich ihm erklärt habe, daß ich manchmal sehr kurze Visionen hätte, die keine Spur in meinem Gedächtnis zurückließen. Dann hat er mir einen Handel vorgeschlagen. Er hat gesagt, daß er mir noch mal erklären würde, warum ich das Gedächtnis verloren habe, wenn ich damit einverstanden wäre . . . wenn ich ihm erlauben würde, daß . . .

Ich habe entsetzt geantwortet, daß ich es vorziehen würde, nichts zu wissen, als daß ich . . . Dann hat er mir gesagt, daß er bereit wäre, es mir ohne Bedingungen zu sagen. Aber die Art, wie er meinen Hals ansah, hat mich seine List durchschauen lassen. Er rechnet damit, daß ich nach seiner Enthüllung vor Schrecken ohnmächtig werde und ihm dann ausgeliefert bin. Ich sage ihm, daß ich nichts wissen will. Ich halte mir die Ohren zu, um ihn nicht zu hören. Er spricht. Ich höre nicht, was er spricht. Ich spreche lauter als er. Ich sage ihm, er soll fortgehen. Schließlich ist er gegangen. Ich verriegele meine Tür. Nun ist Schluß: Ich werde niemals wissen, warum ich das Gedächtnis verloren habe. Ich strecke mich auf meinem Bett aus und schlafe bald wie eine Tote.

11

Ich habe eine lange Krankheit hinter mir und danach eine lange Genesungszeit. Der Doktor hat mir ein neues Mittel verschrieben, das mir Ruhe und sogar Vergessen gebracht hat. Seit sechs Monaten habe ich keine Halluzinationen mehr. Es geht mir gut. Ich weiß immer noch nicht, warum ich ohne Gedächtnis bin, aber ich habe mich in mein Schicksal ergeben. Nizou ist tot. André Magnan ist tot. Wir sind alle sterblich. Was tun? Was habe ich von der Zukunft noch zu erhoffen? Sonderbare Geschichte, daß die Zukunft, an die ich jetzt denke, *meine Vergangenheit* ist, die allmählich wieder auftaucht. Ich habe es für klug gehalten, Marie deswegen zu fragen, weil sie zumindest nicht das Gedächtnis verloren hat. Sie hat mir geantwortet, daß mir seit dem Tod von Nizou nichts mehr geschehen ist. Ich habe den Eindruck, daß sie lügt, aber ich weiß nicht, warum sie lügt. Vielleicht hat ihr der Doktor aufgetragen, mir nichts zu sagen, aus Sorge, meinen Verstand zu verwirren. Auf jeden Fall habe ich ihr Vorwürfe gemacht, weil sie mich am ersten Tag, als ich von der Agentur A. V. kam, hat glauben lassen, daß mein Neffe noch lebt. Sie wußte doch sehr gut, daß er tot war. Sie hat geantwortet, daß sie zum Zeitpunkt, als Nizou vergiftet wurde, krank im Hospital lag; sie hatte nichts gewußt. Sie lebt allein, und niemand hatte ihr von den tragischen Ereignissen erzählt. Ich habe so getan, als ob ich mich mit dieser Erklärung zufriedengäbe, die mir unglaublich erscheint.

Seit einiger Zeit denke ich viel an Nizou. Die Angelegenheit ist zu den Akten gelegt worden. Dennoch bin ich sicher, daß Nizou keinen Selbstmord begangen hat. Er hatte keinerlei Grund dazu, während Zoé alle Gründe hatte, ihn zu ermorden. Aber ich müßte die Schuld von Zoé beweisen, sonst würde man mir immer entgegenhalten, daß die Sache zu den Akten gelegt worden ist, wenn ich neue Schritte unternähme. Wenn ich einen Beweis erbringe, müßte sich die Justiz schon damit befassen. Auf das Schafott mit der Giftmörderin! Dieser Gedanke ist es, der mich aufrecht erhält. Ich grolle auch Aglaé, die mir die Liebe von Nizou gestohlen hat. Sie wird als Komplizin verurteilt werden, ebenso der schreckliche Clément. Alle diese Leute müssen dafür bestraft werden, daß sie mir Nizou genommen, ihn getötet haben. Dieser Gedanke ist es, der mich aufrecht erhält, der mir Kräfte gibt, Lebensenergie. Ich werde alles das, was mir im Leben geblieben ist, dazu verwenden, diese Verbrecher, diese Mörder von Nizou zu überführen. Es war dumm von mir, Selbstmord begehen zu wollen. Von jetzt an will ich meine Mißgeschicke vergessen. Ich will nicht mehr an mich denken. Ich will leben, um Nizou zu rächen.

Bei den Schwestern Tronchin geht etwas Geheimnisvolles vor sich. Seit drei Monaten beobachte ich das Haus gegenüber. Ich glaube, daß ich dieses Mysterium aufgeklärt habe. Wenn das, was ich denke, wahr ist, dann stehen mir die Haare zu Berge. Aber es paßt mit Nizous Vergiftung sehr gut zusammen. Wenn ich meine Schlüsse in dieser neuen Angelegenheit beweisen kann, dann werden die Akten von Nizou wieder hervorgeholt. Die Schuld dieser Hexen wird offen zutage liegen. Ich habe das Empfinden, daß ich zum großen Schlag ausholen und den *endgültigen* Beweis vorlegen kann.

Die Leute gehen zur Messe. Sie ziehen an meinem Haus vorbei zur Kirche. Ich kenne all diese Leute. Marie hat mir ihre

Namen, ihre Berufe genannt. Ich sehe sie durch den Spalt meiner halboffenen Fensterläden, mit meinem Opernglas, das ich im Schubfach meines Küchenschrankes gefunden habe. Mit Hilfe des Glases sehe ich alle Einzelheiten ganz deutlich. Da ist der Bürgermeister mit seiner Frau und seiner Tochter. Diese hat auf ihrer weißen Bluse Flecken; sie wird keine ordentliche Hausfrau werden. Dort ist der pensionierte General, Witwer, mit seinem Gecken von Sohn. Dieser hat sich kürzlich die Fingernägel geschnitten, aber er hat Schmutz unter dem Nagel des linken Ringfingers. Egal, was er in seinem Leben tun wird, er wird im Hospital oder in der Gosse enden. Dann kommen die de Riquières mit ihren drei Töchtern: das sind die Bourgeois des Dorfes, reich und geizig. Die zweitälteste hat in der Sohle ihres rechten Halbstiefels ein Loch; ich sehe das mit meinem Glas sehr gut, denn beim Laufen hebt das Mädchen jedesmal den Fuß ziemlich hoch.

Ist die Prozession zu Ende? Sind alle vorbei? Seit einer halben Stunde lauere ich. Ich habe genug von diesem Vorbeimarsch . . . Gut, niemand mehr. Das ganze Dorf ist in der Kirche. Der Weg ist frei.

Jetzt zu uns beiden! Ich richte mein Glas auf das Haus gegenüber.

Worauf warten sie noch, diese beiden? Es ist höchste Zeit, zur Messe zu gehen. Ich weiß, daß sie nicht zusammen fortgehen. Seit dem Tod von Nizou sind sie entzweit. Teilen wir das Problem. Ich richte mein Opernglas auf das Haus links, das Haus von Aglaé. Sie ist noch nicht gegangen, dessen bin ich sicher. Ich bin heute morgen frühzeitig aufgestanden, und seitdem stehe ich auf der Lauer. Wenn sie fortgegangen wäre, hätte ich es gesehen. Ich bin sicher, daß auch sie ihrerseits mein Haus beobachtet, hinter ihren Vorhängen stehend. Ich sehe ihre Gardine, die sich bewegt. Sie muß sich fragen, ob ich nicht zur Kirche oder einkaufen gehe. Da kannst du lange warten: Ich bleibe zwanzig Jahre hier, wenn es sein muß. Durch einen Spalt der Gardine sehe ich ihr Auge. Das

Auge zieht sich zurück. Die Gardine schließt sich. Wird sie endlich fortgehen?

Da ist sie endlich. Sie hat sich entschlossen. Sie geht fort. Ich sehe sie von vorn, weil sie einen Augenblick lang mein Haus mustert. Ich sehe ihren Adlerblick, ihren Oberkörper, steif wie ein Brett, und ihre gestrickten Handschuhe, die bis zum Ellbogen reichen.

Sie dreht sich um, schließt die Türe ab, geht die drei Treppenstufen hinunter, durchquert den Vorgarten, öffnet das Gittertor zur Straße, schließt es ab, steckt die Schlüssel in ihre Einkaufstasche. Sie richtet noch einmal ihren Adlerblick auf mein Haus. Sie fühlt, daß ich etwas ahne. Oh! Sieh mich nur an; ich werde dich entlarven, ich!

Ich beobachte sie mit meinem Opernglas. Sie trägt in der linken Hand ihr schmutziges Gesangbuch, dessen Plüscheinband an den Ecken abgeschabt ist. In der rechten Hand hält sie ihre Einkaufstasche aus gelbem Leinen, die auf einer Seite in der linken Ecke oben einen winzigen Fettfleck hat; auf der anderen Seite in der Mitte ist ein Riß sichtbar, der mit Bindfaden zugenäht ist. Seit der Zeit, in der ich sie beobachte (seit drei Monaten), kenne ich diesen Beutel auswendig, sowohl die eine als auch die andere Seite.

Sie ist von Kopf bis Fuß in Schwarz gekleidet. Sie hält ihre Einkaufstasche folgendermaßen: die vier Finger ihrer rechten Hand liegen unter der Lederschlaufe, während der Daumen über die Schlaufe ausgestreckt ist. Auf dem Daumen, etwas vor dem ersten Fingerglied, unterscheide ich einen kleinen roten Fleck, aus dem ein schwarzes Härchen hervorsteht. Sie hat einen Tick: Sie bewegt diesen Beutel beim Gehen von oben nach unten, *als ob etwas darin wäre, das anstoßen, verschüttet werden oder Geräusch machen könnte.*

Jetzt ist sie fortgegangen. Ich sehe sie nicht mehr. Sie hat sich in Richtung Kirche entfernt. Was macht ihre Schwester Zoé? Ich richte mein Glas jetzt auf das Haus rechts, das von Zoé. Ah, sie hat sich sehr verändert, Zoé, in der letzten Zeit. Anfangs unterschied man die beiden Schwestern nur durch den leicht gekrümmten Rücken von Zoé, und auch, weil Aglaé stets ein schwarzes Band um den Hals trug, während Zoé kein Band hatte. Aber jetzt . . .

Das war mit einemmal gekommen. Eines Tages ist Zoé gekrümmter als sonst erschienen. Man hatte sie seit vierzehn Tagen nicht mehr gesehen. Aglaé hat überall erzählt, daß ihre Schwester angeblich, nach der Diagnose des Doktors, mit einem Rheumatismus der Wirbelsäule das Bett gehütet hätte. (Ich selber habe nie einen Arzt zu Besuch kommen sehen!) Dann haben die Leute bemerkt, daß Zoé im Kopf wirr war. Sie starrt die Personen an, von denen sie auf der Straße angesprochen wird, ohne zu antworten.

»Meine Schwester hat den Kopf verloren«, sagte Aglaé, wenn man sie fragte.

Marie hat mir das alles erzählt. Alle Welt spricht darüber . . .

Also geht Zoé, gekrümmt und stumm, nur wenig aus: gerade soviel, um die notwendigsten Lebensmittel einzukaufen; sie geht nicht zur Messe; sie denkt nur an die Nahrung, wie ein Tier. Ihre Stimme, die früher laut und spitzer als die ihrer Schwester war, ist verschleiert, lallend geworden; die Kaufleute haben einige Mühe, zu verstehen, was sie haben will; sie verständigt sich vor allem durch Zeichen. Sie geht sofort nach Hause, und man sieht sie den ganzen Tag nicht mehr. Sie lebt allein, kocht; man sieht aber nur selten Rauch aus ihrem Schornstein kommen; sie ißt offenbar vor allem kalte Gerichte. Aglaé hilft ihr nicht, pflegt sie nicht. Die beiden Schwestern sind seit Nizous Tod aufeinander böse und haben sich getrennt.

Jetzt heißt es warten, daß Aglaé von der Messe zurückkommt, *denn Zoé geht niemals aus*, wohlverstanden, wenn ihre Schwester draußen ist . . .

Oh! Das ist es nicht, was mir den Wink gegeben hat, denn seitdem sie aufeinander böse sind, vermeiden sie es, zusammen auszugehen. Das, was mir den Hinweis gegeben hat, das ist . . .

Nun, da kommt der erste Kirchgänger von der Messe zurück. Dann wird auch Aglaé bald zurückkehren. Aber sie muß zuvor noch zum Fleischer gehen, zum Bäcker und vielleicht noch zum Lebensmittelhändler. Am Sonntag kaufen die Leute im anderen Dorf ein: Sie schlagen zwei Fliegen mit einer Klappe. Und zu dieser Stunde haben die Geschäftsleute viele Kunden. Die Minuten vergehen. Die Leute kommen jetzt in umgekehrter Richtung vorbei.

Endlich, da ist Aglaé! Mir klopft das Herz. Mein großer Augenblick steht bevor . . . Ich sehe ein Brot, zwei Stangen Porree, die aus ihrer Einkaufstasche herausragen. Wie sie sich bewegt! Das ist es aber noch nicht, was mir den Fingerzeig gegeben hat. Jedermann kann einen Tick haben . . .

Aglaé öffnet das Gittertor mit ihrem Schlüssel; sie öffnet es; sie schließt wieder zu. Sie geht über die Treppe, öffnet die Tür, tritt in die Küche ein, macht hinter sich zu. Der Vorhang hinter ihrem Fenster verschiebt sich ein wenig. Aglaé sieht nach meinem Haus. Sie weiß, daß ich sie beobachte. Meine Beine zittern vor Ungeduld. Noch nicht, noch nicht, meine Beine! Jetzt muß erst einmal die *andere* fortgehen. Wird sie sofort ausgehen? Gewöhnlich vergehen fünf bis zehn Minuten zwischen der Heimkehr der einen und dem Weggang der anderen.

Achtung! Die Tür rechts öffnet sich. Fräulein Zoé erscheint. Sie geht stark zusammengekrümmt. Ihre Stirn ist mit Falten bedeckt. Sie hat einen wirren Blick. Sie ist schwarz gekleidet, wie ihre Schwester: das gleiche Kleid, die gleiche Bluse; auch ihre Handschuhe reichen bis zum Ellbogen; aber sie hat kein Halsband. Ihr Einkaufsbeutel ist genau der gleiche wie der ihrer Schwester. Und dieser Beutel, wohlverstanden, bewegt sich von unten nach oben, *als ob etwas darin wäre, das anstoßen, verschüttet werden oder Geräusch machen könnte.* Diese Zwillingsschwestern, sieht man, haben oft die gleichen Ticks.

Die Leute sagen im Vorübergehen:

»Armes Fräulein Zoé, sie zittert wie eine Alte!«

Aber ich, die mit einem Opernglas sieht, wie Zoé genau wie ihre Schwester mit ihrer rechten Hand den Einkaufsbeutel hält, vier Finger unter dem Lederhenkel, den Daumen über diesen Henkel ausgestreckt, und auf diesem Daumen, ein wenig vor dem ersten Fingerglied, *der gleiche kleine rote Fleck, auf dem sich ein winziges schwarzes Härchen aufrichtet . . .*

Nein, das ist es noch nicht, das mir den Wink gegeben hat. Ich habe mir gleich gedacht, daß Zwillingsschwestern, die aus dem gleichen Ei stammen und in allem identisch sind, von Geburt an das gleiche Muttermal an derselben Stelle haben können. Das, was mir tatsächlich beim erstenmal den Hinweis gegeben hat, das ist . . .

Schnell! Zoé, immer gekrümmt, immer ihren Einkaufsbeutel auf und ab bewegend, verschwindet jetzt an einer Wegbiegung. Die Straße ist verlassen. Man sieht niemanden mehr. Jetzt ist der Augenblick gekommen, meinen Plan auszuführen. Ja, heute, in diesem Augenblick, werde ich es wissen . . .

Ich gehe hinaus. Ich gehe über die Straße. Mein Herz klopft bis zum Halse. Ich läute an der Gittertür links, der von Aglaé. Wenn sie auf mein Läuten antwortet, werde ich ihr sagen, daß mir nicht wohl ist und daß ich keinen Essig mehr habe, daß sie mir etwas leihen möchte; als reiner Vorwand, um meinen Besuch zu rechtfertigen. Wenn sie nicht antwortet . . .

Sie antwortet nicht! Mir sträuben sich die Haare auf dem Kopf. Hilfe! Ich werde verrückt. Und doch habe ich es schon vorher gewußt, ich wußte es!

Ich läute erneut, mehrere Male. Ich stoße an das Gitter mit den Füßen, ich schlage mit den Fäusten, ich rufe. Nichts!

Marie kommt vorbei, meine Haushaltshilfe, die sich beeilt, nach Hause zu kommen. Als sie mich sieht, bleibt sie stehen. Sie ist erstaunt, mich klopfen, rufen zu sehen. Sie weiß, daß wir uns gegenseitig nie besuchen, Aglaé und ich. Mir kommt ein Gedanke. Ich rufe:

»Kommen Sie doch her, Marie. Ich brauche Sie.«

Bevor sie kommt, öffne ich das Gittertor mit einem Schlüssel, *den ich in der Stadt habe machen lassen.*

Marie fragt:

»Was machen Sie da? Was geht hier vor?«

Sie ist über die Straße gegangen. Sie ist bei mir. Ich antworte:

»Ich habe geläutet, gerufen, aber Fräulein Aglaé gibt kein Lebenszeichen.«

»Vielleicht ist sie ausgegangen?«

»Sie ist soeben nach Hause gekommen, ich habe es gesehen.«

»Vielleicht ist sie beschäftigt?«

»Sie wollen also sagen, daß sie nicht antworten will? Wir werden nachsehen. Bleiben Sie vor diesem Gitter. Ich selber werde auf der anderen Seite nachsehen.«

Ich lasse Marie da stehen, die sich immer mehr wundert. Ich gehe in den Vorgarten, ich gehe links um das Haus herum, ich gelange hinter das Haus; ich bin in dem Gärtchen. Das Fenster des Zimmers ist geschlossen; die hölzernen Fensterläden sind an der Hauswand festgemacht. Ich hebe einen Stein auf, ich steige auf die Bank, die unter dem Fenster steht; ich schlage die Fensterscheibe ein, lange mit dem Arm hindurch, öffne den Verschluß. Wenn Aglaé erscheint, werde ich sagen, daß ich einen Schrei gehört und geglaubt habe, daß ihr Leben in Gefahr ist. Aber ich bin ganz ruhig . . .

Niemand ist zu sehen. Mit einiger Mühe dringe ich durch das Fenster ein. Das Zimmer ist leer. Ich öffne die Verbindungstür, die das Zimmer von der Küche trennt. In der Küche ist niemand.

Auf dem Tisch sehe ich Butter, Fleisch, das Brot und die Porreestangen, die sie soeben gekauft hat.

Ich öffne das Küchenfenster. Ich rufe Marie zu:

»Sie haben niemanden aus dem Haus gehen sehen?«

»Nein.«

»Gut. Kommen Sie von hinten herein. Kommen Sie zu mir.«

Ich schließe das Fenster wieder. Ich gehe in das Zimmer und helfe Marie, nicht ohne Schwierigkeit, durch das Fenster hereinzukommen. Sie macht es nicht gern; ich ziehe sie fast mit Gewalt herein.

»Ich brauche einen Zeugen«, sage ich zu ihr, »für das Gericht . . . Man weiß nie, was passieren kann. Auf jeden Fall bin ich nicht hierhergekommen, um zu stehlen: Sie können es selber sehen, ich gehe mit leeren Händen, wie ich gekommen bin. Es handelt sich darum: *Fräulein Aglaé ist soeben nach Hause gekommen; ich habe geklopft, aber sie ist nicht herausgekommen, und das Haus ist leer.* Was sagen Sie dazu?«

Marie ist das Staunen in Person.

»Vielleicht ist sie im Keller oder auf dem Dachboden«, meint sie.

»Es gibt keinen Keller und keinen Dachboden. Sie haben es mir doch selber gesagt, als das Haus besichtigt wurde.«

»Vielleicht ist sie nach hinten hinausgegangen?«

»Die Mauer ist zwei Meter hoch.«

»Die Mauer ist defekt, es gibt eine Lücke.«

»Nicht auf dieser Seite. Die Bresche ist im Garten von Fräulein Zoé; die beiden Gärten sind durch eine Mauer getrennt, die genauso hoch ist wie die Umfassungsmauer.«

»Mit einer Leiter . . .«

»Es ist keine Leiter da. Ich habe nachgesehen.«

Marie überlegt einen Augenblick lang mit stumpfsinniger Miene. Sie bekreuzigt sich und sagt:

»Jesus, Maria und Joseph!«

Dann rafft sie sich auf und sieht unter den Küchentisch.

»Glauben Sie, daß sie sich vielleicht unter einem Möbelstück versteckt hat? Oder in einem Möbelstück? Sehen wir nach.«

Ich öffne nacheinander den Küchenschrank, die Kommode und den Schrank im Zimmer. Die Kommode ist mit allen möglichen Gegenständen und Wäsche vollgestopft; der Schrank dagegen ist völlig leer.

»Sie werden feststellen, daß sie nirgendwo ist . . . Hören Sie nicht, daß irgendwo eine Katze miaut?«

»Ja.«

»Aber es ist keine Katze zu sehen.«

»Sie steckt vielleicht unter einem Möbelstück.«

»Wie Aglaé? Gut, sehen Sie mal unter dem Schrank nach.«

Marie hockt sich nieder, und ich höre einen Ausruf des Erschreckens.

»Sagen Sie mir, was Sie sehen«, fordere ich sie auf.

»Ich sehe Bettfüße, Sofafüße; einen Schemel, einen kleinen Teppich und darauf eine Katze.«

»Alles das unter dem Schrank?«

»Nein, das ist – weiter entfernt.«

»Gut. Das Problem ist gelöst. Ich wußte es übrigens schon vorher. Helfen Sie mir, diesen Schrank beiseite zu schieben. Aber nein, ich mache es schon selbst, er ist ja leer. Er ist absichtlich leer.«

Ich schiebe den Schrank zur Seite. Eine rechteckige Öffnung, einen Meter hoch, fünfzig Zentimeter breit, ist durch die Wand gebrochen und auf der anderen Seite durch einen Schrank versperrt. Ich bücke mich, schiebe den zweiten Schrank weg und trete ein.

»Kommen Sie«, sage ich zu Marie. »Passen Sie auf Ihren Rücken auf. Bücken Sie sich.«

Wir befinden uns im Zimmer von Zoé. Auf dem Bett liegt ein schwarzes Band: das Band von Aglaé! Wir gehen in die Küche. Nichts liegt auf dem Tisch. Ich werde auf einen Leinenbeutel in einer Ecke aufmerksam. Ich öffne ihn: Er ist leer. Ich lasse ihn fallen: Es gibt einen dumpfen Ton, er ist ohne Interesse.

Ich sage:

»Sie sehen, Fräulein Zoé ist mit ihrem Beutel ausgegangen, und der ist da.«

Ich öffne die Möbelstücke, um Marie zu beweisen, daß Aglaé nicht drinsteckt.

»Merken Sie es sich«, sage ich zu ihr. »Merken Sie es sich gut. Sind Sie jetzt überzeugt, daß Fräulein Aglaé auch nicht im Hause ihrer Schwester ist?«

»Ja, ja«, sagt sie, sich bekreuzigend. »Und Fräulein Zoé?«

»Ich habe Ihnen gesagt, daß sie ausgegangen ist. Ich habe sie fortgehen sehen. Sie wird bald zurückkommen. Gehen wir wieder zurück.«

Wir gehen in das Zimmer von Aglaé zurück, nachdem wir die beiden Schränke wieder an ihren Platz gerückt haben.

»Was werden wir nun tun?« fragt Marie.

»Die Rückkehr von Zoé abwarten.«

Ich setze mich auf das Sofa des Zimmers. Ich biete Marie den Stuhl an. Sie zieht es vor, stehen zu bleiben. Sie zittert am ganzen Körper.

»Was soll das alles bedeuten? Was wird noch alles passieren?« seufzt sie.

Ich antworte nicht. Die Minuten vergehen. Schließlich hört man draußen ein leichtes Geräusch. Jemand kommt nebenan ins Haus. Ich sage:

»Hören Sie?«

»Ja«, sagt Marie, ganz blaß.

»Wissen Sie, wer nebenan nach Hause kommt?«

»Nun, Fräulein Zoé?«

»Und wissen Sie, *wer* diesen leeren Schrank beiseite schieben und durch die vom Schrank verborgene Öffnung hier eintreten wird, *mit einem schwarzen Band um den Hals?*«

»Fräulein Zoé«, sagt sie zähneklappernd.

»Nun, hat denn Fräulein Zoé ein schwarzes Band? Sie können getrost mit den Zähnen klappern; sie werden gleich noch stärker klappern.«

Diese Einfalt! Sie hat nichts verstanden.

»Ich will weg«, sagt sie weinerlich.

»Pst!«

Ich halte sie zurück und ziehe sie mit mir hinter das Bett, wo wir uns niederhocken.

»Geben Sie sich Mühe, nicht zu schreien«, sage ich leise zu ihr.

Vorsorglich lege ich ihr meine Hand auf den Mund. Langsam wird der Schrank von einer seiner Ecken aus beiseite geschoben und scheint sich um einen Fuß zu drehen. Ein Augenblick der Angst!

›Sie‹ erscheint, mit ihrem Band, mit ihrem Beutel, ganz zusammengekrümmt in dem Loch in der Wand; dann richtet sie sich auf wie eine entspannte Feder. Jetzt steht sie aufrecht da wie ein Brett. Ich presse die Lippen von Marie so fest mit meinen Fingern zusammen, daß der Schmerz sie daran hindert, einen einzigen Ton hervorzubringen.

Aglaé stellt den Schrank wieder an seinen Platz und geht geradeaus direkt in ihre Küche. Gebückt sehe ich zu, wie sie aus ihrem Beutel die Schlüssel herausholt, ihr Geldtäschchen, ein Brot, einen Salatkopf, zwei Äpfel. Sie legt sie auf den Tisch neben die Lebensmittel, die sie schon vorher auf den Tisch gelegt hatte. Dann wirft sie ihren Beutel in eine Ecke, der ein dumpfes Geräusch von sich gibt, *wie eine Billardkugel, wenn ein Spieler sie mit seinem Billardstock berührt.*

Ich kann nicht mehr an mich halten. Ich springe auf, ich laufe in die Küche. Ich pflanze mich vor der erschrockenen Aglaé auf. Und während ich meine Arme zum Himmel hebe, um meinen Abscheu kundzutun, stoße ich einen langgezogenen Schrei des Schreckens aus, der tief aus meiner Brust kommt. Und meine Augen, glaube ich, treten aus den Höhlen.

Bleich vor Aufregung klammert sich Aglaé an die Wand.

»Ich will die Tasche sehen!« schreie ich.

Ich stürze mich auf die Tasche und fasse sie mit beiden Händen. Aglaé eilt herbei und versucht sie mir zu entreißen.

»Marie, zu Hilfe!« schreie ich.

Marie erscheint. Aglaé überläßt mir angesichts dieser

Verstärkung den Beutel. Sie nimmt ihre Schlüssel vom Tisch, ihr Geldtäschchen, reißt die Tür auf und entflieht.

Ich habe nur noch Augen für die Einkaufstasche. Ich öffne sie. Die Leinwand ist innen durch Stoff verstärkt. Unter dem Stoff ist etwas Hartes, Rundes. Ich ziehe den Stoff nach oben heraus: Der Stoff zerreißt. Erregt greife ich in den Boden des Beutels

12

Da ist er: *der Kopf von Zoé,* klein, ohne Ohren, ohne Lippen, ohne Haare, ohne Augen, ganz schwarz, ganz zusammenge-schrumpft; offenbar hat sie ihn am Feuer ihres Herdes tage- und nächtelang getrocknet, am Ende eines Schürhakens, wie es die Wilden tun, die Kopfjäger, um erbeutete Köpfe zu ver-kleinern und sie unverweslich zu machen.

Ich lege den Kopf wieder in den Sack.

»Gehen wir«, sage ich.

Ich wende mich um. Marie liegt der Länge nach auf dem Fußboden, ohnmächtig. Zum Teufel mit diesem schlappen Frauenzimmer!

Ich lasse sie da liegen; sie wird schon von allein wieder zu sich kommen. Es gibt Dringenderes zu tun, als sich um Ma-rie zu kümmern. Ich gehe durch die beiden Türen hinaus, die Aglaé bei ihrer überstürzten Flucht offengelassen hat. Ich gehe die Straße entlang und bewege meine Tasche auf die gleiche Art wie Aglaé, wie um den Leuten zu zeigen: ›Ich trage ihn! Ich habe ihn!‹ Aber die Straße ist verlassen; jeder-mann ist beim Mittagessen.

Ich komme beim Bürgermeister an; ich läute. Das Dienst-mädchen will mich nicht eintreten lassen. Sie sagt:

»Der Herr Bürgermeister ist beim Mittagessen. Was gibt es?«

Ich schiebe sie zur Seite. Ich betrete ein Zimmer, in dem

ich Stimmen hörte. Das ist das Eßzimmer. Die ganze Familie ist beim Essen. Ich öffne die Einkaufstasche, ohne guten Tag zu sagen, und lege den Kopf von Zoé auf den Tisch, neben das Vorgericht. Bestürzung!

Dann lege ich los.

Alle sind blaß geworden.

»Schnell!« sage ich. »Man muß sie verhaften, bevor . . .«

»Ich werde den Staatsanwalt benachrichtigen«, sagt der Bürgermeister.

Ich protestiere:

»Erst muß sie verhaftet werden, glauben Sie mir.«

»Ich bin nicht befugt, jemanden . . .«

Ich weise auf den Kopf hin; ich erkläre:

»Ein klarer Fall. Wer es auch sei, und gar ein Gemeindebeamter wie Sie, hat das Recht und sogar die Pflicht, sie festzunehmen. Lesen Sie im Gesetzbuch nach. Übrigens werde ich es sein, der sie festnimmt. Besorgen Sie mir nur einen Wagen, denn sie hat einen Vorsprung.«

»Iß vorher Mittag«, sagt seine Frau.

Er zögert. Er sagt:

»Ich . . . habe keinen Hunger mehr.«

Ich ziehe ihn fort. Er spannt seinen zweirädrigen Wagen an; wir nehmen noch den Feldhüter mit; er fährt mit uns.

»Wo können wir sie finden?« fragt der Bürgermeister.

»Was glauben Sie, wo die hingeht? Zum Bahnhof natürlich, zum nächsten Zug.«

Der Bahnhof ist zwei Kilometer entfernt. Der Wagen fährt vor meinem Haus vorbei, die Friedhofsmauer entlang, vorbei an der Kirche und zum nächsten Dorf. Das Pferd bekommt die Peitsche und galoppiert.

Da ist der Bahnhof. Wir steigen vom Wagen. Wir betreten den Bahnhof. Wir fragen den Beamten, ob er nicht eine Frau gesehen hat, die Aglaé sein könnte. Nein, er hat niemanden gesehen. Der letzte Zug am Morgen ist schon lange weg. Vor dem Nachmittag fährt kein anderer Zug.

Wir sind auf den Bahnsteig gegangen. Wir haben überall

herumgeschnüffelt, sogar in den Waschräumen. Keine Aglaé.

»Wo mag sie nur stecken?« sagt der Bürgermeister.

»Sie muß per Anhalter gefahren sein«, sage ich.

»In diesem Fall«, meint der Bürgermeister, »lohnt es sich nicht, noch weiter zu fahren.«

Wir kehren unverrichteter Dinge zurück. Aber eines ist erreicht: Die Polizei wird sie suchen.

Zum späten Nachmittag ist die Staatsanwaltschaft eingetroffen: drei Herren in einem großen schwarzen Automobil. Da der Schuldige nicht da ist, hat man mich befragt. Ich habe nicht hinter dem Berge gehalten!

Der Untersuchungsrichter hat meine Worte mit zufriedener Miene aufgenommen. Er jubelt. Die Beweiserhebung ist abgeschlossen! Ich sage ihm vor allem:

»Was mir den ersten Hinweis gegeben hat, Herr Richter, das ist dieser Fettfleck und dieser Riß in der Einkaufstasche von Aglaé, als ich *einige Zeit nach der angeblichen ›Krankheit‹ von Zoé* mit meinem Opernglas im Laufe vieler Beobachtungen entdeckte (denn ich habe sowohl die eine als auch die andere Seite der Tasche angesehen), daß die Tasche von Zoé *den gleichen Fettfleck und den gleichen geflickten Riß, genau an derselben Stelle hatte!* Und dennoch konnte das immer noch ein Zufall sein. Aber zwei Einkaufstaschen derselben Art, so gleich sie auch sein mochten, konnten nicht plötzlich auf jeder Seite eine *nicht abgestempelte Briefmarke auf dem Leinen tragen; diese beiden Briefmarken, die ich eines Tages geschickt im Fleischerladen aufgeklebt habe,* während ich hinter Aglaé stand, die im Gedränge der Kunden darauf wartete, bedient zu werden. Das hat mich zwei Briefmarken gekostet, aber ich hätte ein Vermögen für das schreckliche Vergnügen ausgegeben, das ich eine halbe Stunde später empfand, als ich *Zoé* von zu Hause fortgehen sah, eine Weile nach der Rückkehr ihrer Schwester, *mit der auf ihre Tasche aufgeklebten verräterischen Briefmarke.*

Oh! Ich brauchte die andere Seite der Tasche nicht zu sehen, um zu wissen, daß dort auch eine Briefmarke aufgeklebt war! Übrigens konnten sich die Schwestern die Tasche nicht ausgeliehen haben, denn sie waren völlig miteinander verfeindet, und ihre Häuser standen nicht mehr miteinander in Verbindung, denn sie hatten ihre Verbindungswand zumauern lassen. Als ich diese Briefmarke sah, zitterte mir vor Schreck das Fernglas in der Hand, aber mein Herz machte einen Freudensprung: die Freude des Triumphes. Am übernächsten Tag waren die Briefmarken verschwunden. Ich glaube, von diesem Tag an begann Aglaé mißtrauisch nach meinem Haus zu schielen.

Nach der Erfahrung mit den Briefmarken wurde mir alles klar, und ich zweifelte nicht mehr, daß Aglaé (Aglaé und nicht Zoé, denn eine gerade gewachsene Frau kann die Rolle einer Buckligen spielen, aber umgekehrt ist das unmöglich), ich zweifelte nicht, sage ich, daß Aglaé nach dem Mord an ihrer Schwester alle Tage deren Rolle spielte, indem sie sich auf der Straße gekrümmt zeigte, ohne Band, um die Leute glauben zu machen, daß Zoé immer noch lebte. Und sie stellte sich sogar noch krummer, um den Unterschied der Körper noch mehr herauszuheben und dadurch einen Argwohn zu zerstreuen. Sie fing an zu stammeln, um die Verschiedenheit der Stimmen noch mehr zu betonen, und stellte sich dumm, um unbequemen Fragen auszuweichen.«

»Aber wie ist Aglaé denn vorgegangen, heimlich zu ihrer Schwester hinüberzugehen und als Zoé verkleidet wieder herauszukommen?«

Plötzlich begriff ich blitzartig: Hatte ich nicht an einem Nachmittag während der ›Krankheit‹ von Zoé dumpfe Hammerschläge gehört, die von den beiden zusammengebauten Häuschen kamen und die mir damals viel zu denken gaben? Diese Hammerschläge auf den Meißel, den eine Hand (ich verstand es jetzt) in die Ziegeltrennwand trieb, um die beiden Zimmer wieder miteinander zu verbinden.

»Woran diese Frau nicht gedacht hat, Herr Richter, ist ihre

Einkaufstasche: Sie hätte die Tasche von Zoé nehmen müssen, während sie ihre Schwester spielte. Aber Aglaé konnte dem Vergnügen nicht widerstehen, selbst als Zoé verkleidet den Kopf von Zoé in ihrer Einkaufstasche bei sich zu führen, um damit spazierenzugehen. Das war für sie eine Wollust. Denn eines Tages, als sie noch zusammen lebten und sich stritten, habe ich Aglaé ganz deutlich schreien hören: ›Ich werde deinen Kopf in meiner Einkaufstasche spazieren tragen.‹ Und Zoé, Sie können sich nicht denken, was sie geantwortet hat, Herr Richter. Sie hat gesagt: ›Ich werde das Blut aus deinen Adern saugen.‹ Und dann hat sie noch hinzugesetzt: ›Ich werde dein Herz am Spieß braten.‹ Und sie hätte es getan, glauben Sie mir.«

Der Richter hat die Arme zum Himmel gehoben und hat gerufen:

»Sie glauben es?«

Und ob ich es glaube! Oh, dieser Einfaltspinsel von einem Richter! Wie wenig kennt er die Frauen, wenn sie hassen! Ich erkläre ihm:

»Es waren zwei Urwaldschlangen, die sich stundenlang gegenseitig belauern. Sobald die eine ein Mittel gefunden hatte, ihr Verbrechen *ungestraft* zu begehen, war die andere verloren.«

Der Richter sieht mich bewundernd an.

»Und kein Anwalt«, habe ich noch mit Eifer hinzugefügt, »soll unterstellen, daß Aglaé verrückt ist. Noch nie wurde ein Verbrechen mit so klarem Verstand geplant, so kaltblütig ausgeführt. Noch nie hat ein Verbrecher mit teuflischem Geschick sich der Aufmerksamkeit der Polizei zu entziehen gewußt. Übrigens, man wird meine Stimme bei der Gerichtsverhandlung hören! O ja, man wird mich hören.

Ich werde Fräulein Aglaé Tronchin des Mordes anklagen, der Täuschung und der Urkundenfälschung, des Einbruchs, der Verletzung des Briefgeheimnisses, des Diebstahls, denn sie hat für ihre Schwester bei mehreren Gelegenheiten unterschrieben; sie hat sich ihr Haus angeeignet, ihre Rente, ihre

Papiere, ihre Möbel und ihre Briefe. Sie hat sogar ihre Steuern bezahlt, ich weiß es. Das ist der Gipfel dieses ungeheuerlichen Falschspieles!«

Das bringt den Richter zum Lachen. Er sagt:

»Ich beglückwünsche Sie, mein Fräulein, zu Ihrer Beredsamkeit wie zu Ihrem eifrigen Bürgersinn.«

Eifriger Bürgersinn? Oh, dieser Einfaltspinsel von einem Richter! Wie versteht er doch die wahren Gefühle schlecht, die mich dazu treiben. Aber der Augenblick ist noch nicht gekommen, ihn eines Besseren zu belehren. Ich werde ihm das alles erklären, wenn es soweit ist.

Vom Haus des Bürgermeisters aus haben wir uns zum ›Ort des Verbrechens‹ begeben. Das halbe Dorf ist uns nachgekommen.

Die andere Hälfte wimmelt schon im Haus von Aglaé.

Wir haben, nicht ohne Mühe, den Tatort räumen lassen. Zutritt hatten nur der Richter und seine Beisitzer; der Bürgermeister, der Feldhüter und ich. Außerdem war noch ein Totengräber dabei, den der Richter für alle Fälle mit hinzugezogen hatte.

Ich habe ihnen die Bresche in der Umfassungsmauer von Zoé gezeigt, durch die sich die Mörderin Zugang verschafft hat. Es war Sommerzeit: Zoé hatte ihr Fenster offengelassen. Oder Aglaé hat eine Scheibe zerbrochen: es fehlt eine.

»Sie muß sie erstochen haben«, sage ich, »als sie eingeschlafen oder halb angezogen auf ihrem Bett lag. Dann hat sie ihr mit einem Beil den Kopf abgetrennt.«

Der Totengräber hat die beiden Gärten untersucht, die beiden Vorgärten und dann das Gebiet, das die beiden Häuser umgibt. Überall verbietet das hohe Gras den Gedanken, daß die Erde kürzlich aufgegraben worden ist.

»Es gibt bestimmt keine Leiche aus neuerer Zeit in diesem Gebiet«, erklärt der Totengräber, »und es hat keinen Zweck, hier irgendwo zu graben.«

Er erhält die Erlaubnis, sich zurückzuziehen. Der Richter hat sie ihm gegeben. Er geht mit seinem Spaten fort.

»Ich frage mich«, sagt der Richter, »wo sie die Leiche wohl versteckt hat.«

Diese Frage bleibt ohne Antwort. Wir gehen in die beiden Häuser und wühlen überall herum, ohne irgendwelche Anzeichen zu finden.

»Es ist bedauerlich«, sagt der Richter bekümmert, »daß wir nicht die Hand auf irgendeinen Dolch oder ein blutbeflecktes Beil legen können. Wir haben keine Beweisstücke.«

Ich erwidere lebhaft:

»Wir haben den Kopf, Herr Richter.«

»Ach ja, richtig, es ist noch der Kopf da.«

Er setzt nachdenklich hinzu:

»Ich frage mich, warum sie ihre Schwester getötet hat.«

Endlich! Meine Stunde ist gekommen. Diese Frage habe ich mit Ungeduld erwartet. Ich antworte in einem großartig autoritären Ton:

»Es ist eine Liebesgeschichte, Herr Richter.«

Er sieht mich verständnislos an:

»Eine Liebesgeschichte? Was wollen Sie damit sagen?«

Ich erkläre ihm also, daß Nizou (sonst Denis Mayer genannt), mein Neffe, zuerst mit Zoé verlobt war, dann mit Aglaé, die ihn ihrer Schwester ausgespannt hatte. Als Zoé sich verlassen sah, hat sie Nizou im Verlauf einer Versöhnungsfeier vergiftet. Um diesen Mord zu rächen, hat Aglaé ihre Schwester umgebracht. Und ich erzähle ihm, wie nach meiner Meinung alles vor sich gegangen ist. Ich schildere ihm, wie die als Nizou verkleidete Zoé aus dem Unglückshaus kommt, begleitet von Aglaé und Clément, das Gesicht unter einem Regenschirm verborgen, nach vorn gebeugt. Ich erzähle ihm dann, wie ich Nizou leblos auf seinem Bett entdeckt hatte, mit seinen auf dem Stuhl wohlgeordneten Kleidern, und daß diese Einzelheit, scheinbar unbedeutend, mir die Augen geöffnet hatte. Ich füge noch hinzu, daß die Untersuchung damals, wie es scheint, nichts ergeben hatte, daß

ich aber seitdem nur noch dafür gelebt habe, den Mord nach-
zuweisen und die Schuldigen zu entlarven.

Ich sage:

»Zoé hat ihr Verbrechen gebüßt, Herr Richter. Aber nun
müssen auch die anderen Schuldigen bestraft werden. Es ist
mir persönlich gleichgültig, ob Aglaé für den Mord an ihrer
Schwester bestraft wird; ganz im Gegenteil, ich freue mich,
daß sie ihre Schwester getötet hat. Aber ich fordere den Kopf
von Aglaé wegen ihrer Komplizenschaft bei der Ermordung
meines Neffen. Ich fordere auch die schwerste Bestrafung
von Clément, dem Sohn des Friedhofswärters. Wenn ich
mich mit all dem so befaßt habe, Herr Richter, dann war es
nicht ›eifriger Bürgersinn‹, wie Sie wohl annehmen, sondern
nur der sehr natürliche Drang nach Rache und Gerechtig-
keit.«

Der Richter fragt:

»Können Sie beweisen, daß Ihr Neffe ermordet worden
ist? Sie können es nur vermuten.«

»Beweisen. Braucht es hier Beweise? Liegt die Wahrheit
nicht klar zutage?«

»Alles in einem«, fährt der Richter fort, »alles, was wir von
dieser Geschichte wissen, verdanken wir nur Ihren Angaben.
Wir müssen Ihnen aufs Wort glauben. Die vermutliche Ver-
brecherin ist verschwunden, kein Leichnam, kein Beweis-
stück: die Bilanz ist mager.«

Ich erwidere:

»Sie vergessen den Kopf von Zoé, Herr Richter.«

»Ah ja, da ist ja noch der Kopf da.«

Er bleibt lange nachdenklich stehen, unschlüssig.

»Nun gut«, erklärt er endlich, »dann sollen diese Marie
Trégnier und dieser Clément vor mir erscheinen. Ich will sie
verhören, die eine als Zeugin, den anderen als Komplizen.«

Der Gendarm ist dabei, sie zu suchen. Wir sind im Vorgarten
von Aglaés Haus und warten. Der Richter setzt sich auf einen Gartenstuhl hinter einen kleinen runden Tisch mit Mar-

morplatte. Nach einer Viertelstunde kommt der Gendarm zurück. Er meldet:

»Der benannte Clément ist unauffindbar, Herr Richter. Was die Frau Marie Trégnier angeht, so kann sie nicht erscheinen. Sie ist vorgestern abend plötzlich an einer Embolie gestorben.«

»Das ist bedauerlich«, sagt der Richter.

Dann wendet er sich an mich und sagt mit überraschter Miene:

»Aber . . . aber . . .«

Ich schreie empört auf:

»Marie? Gestorben? Vorgestern? Was soll das heißen? Ich habe noch heute mittag mit ihr gesprochen. Sie war dabei, wie ich Ihnen gesagt habe, als ich den Kopf von Zoé in der Tasche entdeckte.«

»Sie ist aber tatsächlich tot«, erwidert der Gendarm. »Ich habe gesehen, wie der Leichenzug vor dem Totenhaus zusammenkam.«

»Das habe ich nicht gewußt«, sagt der Bürgermeister.

»Ich auch nicht«, sagt der Feldhüter.

Ich breche in ein gellendes Gelächter aus. Was für eine Posse! Oder es handelt sich um ein Mißverständnis. Der Gendarm hat sich im Namen geirrt. Ich sage:

»Das ist doch unmöglich, Herr Richter. Das Rätsel wird sich lösen lassen.«

In diesem Augenblick ist großer Lärm zu hören. Eine Menge Dorfbewohner dringt in den Vorgarten ein. Einer von ihnen meldet:

»Die Schwestern Tronchin sind da, Herr Richter.«

Ein erschreckendes Schauspiel bietet sich meinen Augen. Hinter den Dorfbewohnern, die zur Seite weichen, sehe ich die Schwestern Tronchin, Aglaé und Zoé, näher kommen. Sie richten ihre scharfen Blicke auf mich. Meine Augen sind vor Schrecken geweitet.

»Sie sind die Damen Tronchin?« fragt der Richter.

»Aber ja«, antwortet Aglaé. »Wir kommen aus der Stadt zurück. Dort habe ich auf dem Bahnhof auf meine Schwester gewartet. Sie kam von einer Sommerfrische bei Freunden zurück. Was geht hier vor? Warum sind soviel Leute in unserem Haus?«

Der Richter antwortet ihnen nicht. Er dreht sich zu mir um. Er sagt:

»Sie sind also verrückt?«

Stammelnd stoße ich hervor:

»Aber, Herr Richter . . . Herr Richter . . .!«

Das ist alles, was ich sagen kann.

In diesem Moment eilt ein Mann herbei und sagt:

»Der Experte, den Sie bestellt haben, um diesen angeblichen Frauenkopf zu untersuchen, erklärt, daß es sich in Wirklichkeit um eine Skulptur aus hartem Holz handelt, aus Eiche wahrscheinlich, an der Oberfläche verkohlt.«

Der Richter hebt die Arme zum Himmel.

Ich fühle, daß mein Kopf bald platzen wird. Ich drücke meinen Kopf mit beiden Händen zusammen.

Alle Leute vor mir lachen. Das ganze Dorf zeigt mit den Fingern auf mich. Sie schreien:

»Haha! Die Verrückte! Die Verrückte!«

Der Richter selber lacht aus vollem Halse.

Ich sehe ein, was es ist: Ich habe eine Halluzination, hervorgerufen durch die Anstrengungen dieses schrecklichen Tages. Ich fege diese Vision mit meinen Händen hinweg, um sie auszulöschen.

Ich schreie:

»Zurück, fort von hier, Gespenster!«

Man lacht noch lauter.

Die Schwestern Tronchin ersticken fast vor Lachen. Sie haben sich, um besser lachen zu können, an den runden Tisch neben den Richter gesetzt. Mit ihrem mageren Zeigefinger deuten sie auf mich. Sie feuern die Menge an, indem sie schreien:

»Die Verrückte, haha, die Verrückte!«

Dieses Schauspiel bringt mich in höchste Wut. Ich brülle:

»Ach, seid doch wieder tot, Verfluchte!«

Ich stürze mich auf die Schwestern Tronchin. Ich zerkratze ihnen das Gesicht mit meinen Fingernägeln. Blut fließt. Sie sind wohlgenährt, diese Hexen! Sie stoßen laute Schreie aus.

Sofort bin ich von einer Menge Leute umgeben, die mich hin und her zerren. Ich setze mich wild zur Wehr. Ich teile Faustschläge und Fußtritte aus. Jetzt hängt eine ganze Traube von Männern und Frauen an mir. Ich beiße in Arme, Kehlen, Ohren. Ich bin außer mir vor Wut. Ich erhalte einen Stoß in den Rücken und falle auf ein Knie. Meine Stirn prallt auf den Rand des Marmortisches, der während des Kampfes umgestürzt ist. Ich verliere die Besinnung.

13

Ich bin in einem ganz weißen Bett aufgewacht, in einem Saal mit grell weißen Wänden. Ein Mann in weißem Kittel beugt sich über mich.

Ich frage ihn:

»Wo bin ich?«

Er antwortet:

»Darf ich mich vorstellen? Doktor Devers. Ich kam gerade mit meinem Wagen vorbei, als Sie diese Leute im Café des Dorfes schlugen; erinnern Sie sich?«

»Im Café? Was wollen Sie damit sagen? Ich verstehe nicht.«

Er erklärt mir:

»Es scheint, daß Sie sich vor dem Café des Dorfes aufgehalten und lange Gespräche mit den Besuchern geführt haben, die an den Tischen saßen, um auf der Terrasse des Cafés am Abend einen Aperitif zu nehmen. Sie haben ihnen Schauergeschichten über bestimmte Nachbarinnen, die Schwestern Tronchin, erzählt . . .«

Ich schreie:

»Aber das alles habe ich doch dem Richter erzählt. Danach habe ich meine Halluzination gehabt.«

Er schüttelt den Kopf. Er sagt:

»Nein. Ihre Halluzination hat gerade darin bestanden, daß Sie in Ihrem Geist alles das für wahr gehalten haben, was dieser Schlacht vorausging. Andererseits war Ihre Anwesenheit vor dem Café sehr real. Haben Sie dieses Café während der Schlägerei tatsächlich nicht gesehen?«

Ich schüttle verneinend den Kopf.

»Nein, ich habe nur die Schwestern Tronchin gesehen.«

Er fährt fort:

»Sie haben zwei Damen tätlich angegriffen, zwei Touristinnen, glaube ich, die über Sie gelacht haben und die vielleicht den Schwestern Tronchin ähnlich sahen. Die Menge wollte Sie lynchen.«

Ich schreie:

»Man hat mich eine Verrückte genannt!«

Er macht eine Geste des Mitgefühls und erzählt weiter:

»Es gelang mir, Sie von der wütenden Menge zu befreien und Sie hierher zu bringen, in meine Privatklinik, wo ich Ihre Prellungen behandelt habe. Dann habe ich mich nach Ihrem Fall erkundigt. Ich habe erfahren, daß Sie das Gedächtnis verloren haben und unter Halluzinationen leiden. Ihr Fall hat mich interessiert. Ich habe die Erlaubnis bekommen, Sie unter meiner Obhut hier zu lassen, anstatt Sie in ein Gefängnis oder in ein Heim zu stecken, was das Los der Leute ist, die friedliche Besucher eines Cafés ohne Grund tätlich angreifen.«

Ich erwidere aufgeregt:

»Das ist vermutlich eine teure Klinik. Ich weiß nicht, ob meine Mittel es mir gestatten werden, hier . . .«

Er erwidert mit einer abwehrenden Handbewegung:

»Meine Behandlung und Ihr Aufenthalt sind gratis. Ich betrachte Sie als ein Versuchsobjekt. Mein Ehrgeiz ist es, Sie zu heilen. Das wird meine Entschädigung sein.«

Ich fasse ihn am Arm.

»O ja, heilen Sie mich, Doktor. Sie können mit meiner ewigen Dankbarkeit rechnen. Warum, ja, warum habe ich kein Gedächtnis? Warum habe ich Halluzinationen?«

»Das wollen wir ja herausfinden, wenn Sie wieder mehr bei Kräften sind. Zunächst müssen Sie sich ausruhen, schlafen.«

Ich werde sehr gut behandelt. Eine Krankenschwester gibt mir zu essen, zu trinken, mißt meine Temperatur, macht mir das Bett zurecht, spricht freundlich mit mir. Ich schlafe fast die ganze Zeit. Es scheint, daß ich schon vier Monate hier bin.

Die Krankenschwester hat heute dafür gesorgt, daß ich mich in meinem Bett aufrichten kann. Sie hat mich mit Kissen gestützt. Der Arzt ist gekommen. Er hat mich gefragt:

»Fühlen Sie sich heute stark genug, um mir, ohne etwas auszulassen, alles zu erzählen, was Sie über sich wissen? Sie müßten dann soweit wie möglich in Ihrem Gedächtnis graben. Wenn nicht, verschieben wir es auf später.«

Ich habe mich angestrengt, seinen Wunsch zu erfüllen, obwohl mir das sehr unangenehm ist. Ich liebe es nicht, mich an all das zu erinnern, was mir passiert ist. Ich erzähle ihm also, wie ich mich, ohne zu wissen wie oder warum, auf der Straße der Stadt wiedergefunden habe und alles vergessen hatte. Wie die Agentur A. V. mir die Adresse meiner Wohnung besorgt hatte und alles das, was mir seitdem zugestoßen war: meine aufeinanderfolgenden Halluzinationen von meiner Mutter, von Nizou, André Magnan, wieder von Nizou und den Schwestern Tronchin, alles Personen, die vor mehr oder weniger langer Zeit gestorben und begraben worden sind, die ich aber lebend gesehen habe, als ob sie vor mir stünden.

Er unterbricht mich:

»Warum sagen Sie, daß die Schwestern Tronchin tot sind?«

»Ich nehme es nur an, weil ich in meinen früheren Halluzinationen immer nur Tote gesehen habe.«

Er schüttelt mißbilligend den Kopf, ohne noch etwas dazu zu sagen. Er fährt fort:

»Ich habe mir meinerseits genaue Unterlagen über Ihr vergangenes Leben verschafft. Ich habe eine ganze Menge Personen befragt, in der Öffentlichkeit und andere. Beim Vergleich mit Ihren Halluzinationen habe ich eines entdeckt: Alle Ihre Halluzinationen entsprechen genau den tatsächlichen Vorgängen, mit Ausnahme von einem Vorgang: dem letzten. Tatsächlich haben in der wirklichen Vergangenheit die Schwestern Tronchin das Land *in der gleichen Nacht* verlassen, in der Ihr Neffe an Gift starb, und man hat nie wieder von ihnen gehört. Alle Bemühungen, sie wieder aufzufinden, sind vergeblich geblieben. Und daher haben Sie in Ihrem vergangenen wirklichen Leben *nicht sehen können*, wie Fräulein Aglaé mit dem Kopf ihrer Schwester in ihrer Einkaufstasche spazierenging, und Sie haben niemals die Gelegenheit gehabt, auch nur das kürzeste Gespräch darüber mit irgendeinem Untersuchungsrichter zu führen. Ich schließe daraus, daß nur Ihre Einbildungskraft diese Episoden geschaffen hat. Und wissen Sie, warum Sie das erfunden haben?«

Ich antworte erschrocken:

»Nein!«

»Um vor Ihren eigenen Augen die Wahrheit zu verbergen, die Sie nicht sehen wollen.«

Ich schreie entrüstet:

»Aber, Doktor, ich versichere Ihnen . . .«

Er erwidert:

»Ich werfe Ihnen nicht vor, das alles willkürlich erfunden zu haben. Es ist Ihr Unterbewußtsein, das damit belastet ist. Es gibt eine Stelle in Ihrem Gehirn, die sich weigert, sich an eine entsetzliche Tatsache zu erinnern, und die sie im Dunkel zurückhält. Sie haben sich daher *etwas anderes* eingebildet, das Sie anstelle der Wirklichkeit setzen, und das alles im guten Glauben.«

»Ich . . . Doktor, das ist furchtbar . . . Ich glaube wirklich, daß ich Fräulein Aglaé Tage und Tage dabei beobachtet habe, wie sie den Kopf ihrer Schwester in ihrer Einkaufstasche spazierentrug.«

»Das menschliche Gehirn ist ein erstaunliches Ding. Sie haben zweifellos diese ganze Episode *während einiger Sekunden* in Gedanken durchlebt, in dem Moment, in dem Sie die Halluzination vor dem Café überfiel.«

Er beugt sich über mich und sagt zu mir:

»Im ganzen betrachtet ist all das, an was Sie sich in Ihren Halluzinationen erinnert haben, *wahr, bis auf die Vergiftung Ihres Neffen.* Von diesem Augenblick an habe ich übrigens in Ihrem Bericht ein gewisses Schwanken beobachtet. Sie haben gezögert, bevor Sie in Ihre letzte Episode eintraten. Sie haben sich bestimmt angestrengt, um eine Erinnerung hochkommen zu lassen, die sich gegen das Auftauchen wehrte.«

Er beugt sich noch tiefer zu mir herunter und fährt fort:

»Wenn wir diese Erinnerung ans Licht bringen, diese wahrscheinlich entsetzliche Sache, die sich in Ihrem Gehirn verborgen hält, dann werden wir vermutlich wissen, warum Sie vor der Agentur A. V. erwacht sind und das Gedächtnis verloren hatten.«

Händeringend sage ich:

»Aber wie ist das möglich, Doktor? Was muß ich tun, um diese Erinnerung wiederzufinden?«

»Es gibt ein Mittel. Warten Sie ab.«

Er ist fortgegangen und dann zusammen mit zwei Krankenpflegern wiedergekommen, die einen Tisch auf Rollen vor sich herschoben, auf dem ein seltsamer Apparat lag, der mit Drähten gespickt war. Zu dem Apparat gehörte ein Helm.

Dr. Devers hat diesen Helm hochgehoben und ihn mir gezeigt. Er hat gesagt:

»Mit Ihrer Erlaubnis werde ich diesen Helm auf Ihren Kopf setzen.«

Er hat Schläuche von dem Helm abgerollt, die wie Fangarme von ihm ausgingen und in einer Art von Saugnäpfen endeten.

»Ich werde diese Kontakte an Ihrer Stirn befestigen, an Ihren Schläfen und Ihrem Nacken. Hypnotische Strahlen werden sich einen Weg quer durch Ihr Gehirn bahnen und den toten Punkt anregen. Für alle Fälle muß ich Ihnen aber sagen, daß der Apparat ohne Ihre Mithilfe wirkungslos ist, vor allem am Anfang. Es ist nötig, daß Sie alle Ihre Erinnerungen seit Ihrem Erwachen auf der Straße hervorholen und daß Sie ihren Ablauf in Gedanken lebendig werden lassen. Vor allem, leisten Sie keinen Widerstand. Überlassen Sie sich selbst. Entspannen Sie sich. Lassen Sie sich gehen. Dann wird schon alles werden.«

»Hat man Schmerzen?« habe ich gefragt.

»Schmerzen? Nein. Aber während der ersten Minuten haben Sie ein unangenehmes Gefühl.«

»Dann ist es gut. Ich bin bereit.«

Er setzt den Helm auf meinen Kopf. Ich empfinde nichts. Er sagt:

»Erlauben Sie, daß ich diesen Knebel in Ihren Mund stecke.«

»Warum?« frage ich erschreckt. »Werde ich denn schreien?«

»Durchaus nicht. Er soll Sie nur daran hindern, zu sprechen. Erstens würde Sie das anstrengen oder könnte Sie aufwecken. Sie haben soeben schon genug geredet. Ferner haben Sie die Möglichkeit, die Informationen geheimzuhalten, die Ihnen die Maschine enthüllen wird. Sie können mir dann keine Indiskretion vorwerfen.«

»Ich sehe, Doktor, daß Sie ein gewissenhafter und ehrlicher Mensch sind. Ich habe Vertrauen zu Ihnen. Legen Sie mir den Knebel an. Ich werde Ihnen alles nach dem Erwachen erzählen.«

Er hat den Knebel angebracht. Dann hat er gefragt:

»Sind Sie bereit?«

Ich habe ihm ein Zeichen gegeben, daß ich bereit bin. Er hat sich an seinen Assistenten gewandt.

»Schließen Sie den Kontakt.«

Aus dem Augenwinkel habe ich gesehen, daß der Assistent einen Stecker in eine Steckdose einführte. Ich habe ein Brummen in der Maschine gehört.

»Denken Sie bitte an das, was ich Ihnen eingeschärft habe«, hat der Doktor noch gesagt.

Ich fühle ein Kitzeln in meinem Kopf. Man könnte von Fingern sprechen, die mich betasten. Das dringt in mein Gehirn ein. Das macht mir ein wenig angst. Es kommt mir vor, als ob ich einschliefe. Ich erinnere mich an das, was mir der Doktor gesagt hat: Ich muß mich erinnern, und ich muß in Gedanken auf den Augenblick zurückkommen, als ich auf der Straße das Bewußtsein wiedererlangte. Ich rufe mir alles ins Gedächtnis zurück ... Ich sehe alles wieder: die Straße ... das Schild der Agentur A. V. ... das Taxi, der Bus ... meine Ankunft im Dorf ... Marie ... mein Haus ... Foufouille in der Allee des Friedhofs, mein Neffe Nizou auf dem Fensterbrett ... die Klopfpeitsche ... Marie und die Nachbarinnen ... die Enthüllung von Marie ... meine Ohnmacht ... dann Nizou beim ersten Auftauchen ... Clément der Vampir ... André Magnan ... die Schwestern Tronchin ... wieder Nizou ... die Verlobungen von Nizou mit Zoé, dann mit Aglaé ... meine Eifersucht ... das Verlobungsmahl ... das Verlobungsmahl ... das Verlobungsmahl ... Oh! Jetzt tut es mir auf einmal weh. Die Maschine tut mir weh. Ich kann mich nicht weiter besinnen. Das Verlobungsmahl ... Die Maschine wühlt in meinem Gehirn. Sie dringt ein wie ein Bohrer ... Das Verlobungsmahl ... Sie ist wie eine Klinge, die durchschneidet; die

Klinge hebt aus meinem Gehirn etwas Hartes, wie ein Geschwür, heraus. Oh! Wie das weh tut! ... Sie schneidet, schneidet, hebt heraus. Das blutet, das ist schmerzhaft ... Nein, ich will nicht ... nein, ich will nicht ... Hilfe! ... Die Maschine ist stärker als ich. Sie zähmt mich. Sie ... Das Verlobungsmahl ... Ich ... ich ...

Ich erhebe mich mit einem Sprung, wie eine Hyäne. Ich blicke durch das Fenster. Sie sind alle vier da, in dem Haus gegenüber, um zu feiern. Nizou, Aglaé, Clément und Zoé, während mich die Eifersucht verzehrt. Ich blicke auf die Uhr. Die Zeit dehnt sich endlos. Ich lege mich auf den Fußboden, ich versuche, ins Parkett zu beißen, um meine wütende Eifersucht zu besänftigen. Ich kralle mich mit den Fingernägeln in den Fußboden. Ich winde mich vor Eifersucht, ich habe Krämpfe ohnmächtiger Wut. Die Uhr im Eßzimmer schlägt Mitternacht. Ich stehe auf. Ich blicke durchs Fenster. Eine weitere Stunde vergeht. Was machen sie? Das Licht ist ausgegangen, ich höre nichts mehr ... Da sind sie endlich. Sie gehen fort. Die Party ist aus. Morgen, bald, wird Nizou Aglaé heiraten, Aglaé, Aglaé ... Und ich, ich werde allein bleiben, mit meiner verhöhnten Liebe. Nizou wird von Aglaé und Clément begleitet. Zoé ist drin geblieben. Nizou hält einen offenen Regenschirm, nach vorn gebeugt, um gegen den Regen anzukämpfen, *denn es hat sich ein starker Wind aufgemacht*, der den Regen waagerecht gegen die Gruppe peitscht. Die Straßenlaterne beleuchtet sie. Eine Viertelstunde später kommt Aglaé zurück, begleitet von Clément. Sie geht ins Haus. Ich rufe Clément. Er antwortet nicht. Er entfernt sich kriechend. Ich gehe eine Stunde lang in meiner Küche auf und ab, wie eine Tigerin, der man ihre Jungen geraubt hat. Ich überlege, ich schwanke ... Endlich fasse ich meinen Entschluß. Ich gehe in mein Zimmer. Ich nehme etwas aus meinem Schrank heraus, hinter einem Stoß Wäsche. Es ist eine Glasflasche mit rotem Etikett. Ich stecke die Flasche in die Tasche meines Regenmantels. Ich lege den Regenmantel über meine Schultern. Ich gehe hinaus. Ich gehe zu Nizou. Ich steige die Treppe hoch, ich betrete sein Zimmer, ich wecke ihn auf. Er gerät in Wut, weil ich ihn aufgeweckt habe. Ich mache ihm Vorwürfe; ich sage ihm, daß diese Heirat unmöglich ist. Ich fordere, daß er auf Aglaé verzichtet; abwechselnd flehe ich ihn an und drohe ihm. Er beschimpft mich; es wird mir klar, daß sein Entschluß feststeht, daß nichts zu machen ist, daß er sie heiraten wird. Ich entscheide mich daher; ich frage ihn, ob er Durst hat; ich beruhige ihn mit sanften Worten. Ich warte seine Antwort nicht ab. Ich gehe zum Schrank, ich nehme ein Glas, ich nehme die Wasserkaraffe, ich gieße Wasser in das Glas; ich drehe Nizou den Rücken zu und schütte ein paar Tropfen aus meiner Flasche in das Glas. Ich reiche ihm das Glas. Er ist erhitzt von dem Streit. Er trinkt es in einem Zug leer. Ich sage ihm, er solle sich wieder hinlegen, sage ihm, daß ich gehe, daß bald alles vorbei sein wird und daß ich mich damit abgefunden habe, ihn zu verlieren. Er legt sich lang, schließt die Augen. Plötzlich krümmt er sich vor Schmerzen. Er schreit:

»Tantine, ich . . . Was ist das . . .«

Er kommt nicht dazu, seinen Satz zu vollenden. Er schleudert die Decken weg, reibt sich den Magen, den Bauch. Dicke Schweißtropfen stehen auf seiner Stirn.

Er stöhnt. Er wird vom Schmerz gefoltert. Es dauert lange. Ich halte mir die Hände vor das Gesicht, um ihn nicht leiden zu sehen. Ich bin verzweifelt. Ich halte es nicht länger aus. Ich gehe auf den äußeren Treppenabsatz, um nicht zu sehen, wie er sich erbricht. Nach einer kurzen Weile höre ich nichts mehr. Ich gehe ins Zimmer zurück. Er rührt sich nicht mehr. Er ist tot. Er ist auf den Bettvorleger gefallen. Ich lege ihn mit Mühe wieder aufs Bett und küsse krampfhaft schluchzend seinen Körper. Ich reiße mich von seinem Körper los, ich lege ihm wieder die Decken über. Ich nehme die verstreuten Kleidungsstücke auf und ordne sie auf dem Stuhl. Ich weiß nicht, warum ich das tue. Ja: Damit man die Schwestern Tronchin anklagt. Das wird ein Indiz sein. Was soll ich vor dem Weggang noch tun? Ich mache die Giftflasche und das Glas mit dem Saum meines Kleides sauber. Ich sehe mich noch einmal um, ob ich nichts liegengelassen habe, das meinen Aufenthalt verraten könnte. Bevor ich gehe, betrachte ich Nizou. Er bewegt sich nicht. Man könnte meinen, daß er schläft. Ich sage zu ihm:

»Dich kriegen sie nicht mehr!«

Ich stöhne vor Schmerz. Ich gehe wieder nach Hause. Das ist noch nicht das Ende. Ich hole mein Beil aus dem Schuppen. Ich verlasse mein Haus mit dem Beil. Ich gehe über die Straße zum Hause der Schwestern Tronchin. Ich gehe hinter das Haus. Ich steige durch die Lücke der Mauer von Zoés Garten. Das Fenster ist halb offen. Ich helfe mir mit einer Bank und ziehe mich zum Fenster hoch. Ich gehe auf ihr Bett zu. Sie hat sich hingelegt, aber sie schläft nicht. Sie sagt mit ängstlicher Stimme:

»Wer ist da?«

Ich sage:

»Ich bin es.«

Sie erkennt meine Stimme, sie stößt einen Schrei aus, richtet sich halb auf. In dem Halbdunkel erkenne ich sie kaum. Ich gebe ihr einen Schlag mit dem Beil; damit nicht zuviel Blut verspritzt wird, schlage ich mehrmals mit der stumpfen Seite auf sie ein; sie rührt sich nicht mehr, sie ist tot. Ich gehe in die Küche. Ich öffne die Tür, indem ich den Schlüssel herumdrehe, der im Schloß steckt. Ich bin jetzt im Vorgarten, vor dem Haus. Ich schlage mit Beilhieben die morsche Holztür zwischen den beiden Vorgärten ein. Aglaé macht ihre Haustür auf und kommt, durch den Lärm aufgeschreckt, herausgelaufen. Sie glaubt, daß ihre Schwester die Tür einschlägt.

Sie sagt:

»Bist du es, Zoé?«

Ich antworte nicht. Die Verbindungstür stürzt ein. Aglaé steht dahinter. Bevor sie eine Bewegung machen kann, schlage ich ihr mit der stumpfen Seite des Beiles direkt auf die Stirn. Sie stürzt zu Boden. Ich schlage noch ein paarmal mit dem Beil auf sie ein.

Dann schleppe ich die Leichen, eine nach der anderen, durch die Lücke in der Mauer, bis zu der kleinen Schlucht im Brachland. Ich lasse sie auf den Grund der Schlucht hinabrollen. Ich werfe mit meinen Händen Erde in die Schlucht; mit meinen Hacken stoße ich noch mehr Erde vom Rande der Böschung nach. Ich werfe auch noch Äste hinein. Erschöpft halte ich inne. Ich betrachte mein Werk. Ich sage:

»Euer Lohn dafür, daß ihr mich gezwungen habt, Nizou zu töten!«

Halb tot vor Müdigkeit und Grauen gehe ich zu Bett. Kaum habe ich mich hingelegt, sinke ich in tiefen Schlaf.

Ich wache auf. Der Doktor nimmt die Haube und den Knebel ab. Er fragt:

»Nun?«

Ich rufe:

»Entsetzlich! Entsetzlich!«

Ich schlage beide Hände vors Gesicht.

»Sprechen Sie«, sagt der Arzt. »Erzählen Sie mir, was Sie gesehen haben. Das wird Sie erleichtern.«

Ich schreie:

»Nein, nein, ich werde nichts sagen.«

Ich habe mich hartnäckig geweigert, zu sprechen. Ich bin von den Schrecken überwältigt, die ich gesehen habe. Der Doktor hat mich gefragt, ob ich durch das Experiment nun wenigstens erfahren habe, warum ich das Gedächtnis verlor. Ich habe geantwortet:

»Ich sehe immer noch nicht, warum ich auf der Straße wieder aufgewacht bin und das Gedächtnis verloren hatte.«

Er besteht darauf:

»Wenn Sie mir sagen könnten, was Ihnen die Maschine offenbart hat, könnte ich Ihnen helfen, herauszufinden . . .

Ich schwöre Ihnen, daß ich Ihr Geheimnis streng hüten werde, was es auch sei.«

Ich schreie:

»Niemals, hören Sie, niemals werde ich es Ihnen sagen!«

Ich bin noch einige Zeit in der Klinik geblieben. Dann hat mir der Doktor gesagt, daß er mich nicht auf die Dauer behalten könnte. Er hat mich in seinem Wagen nach Hause gebracht. Er hat mich gebeten, ihn zu benachrichtigen, wenn es etwas Neues gäbe oder wenn ich bereit wäre, mich ihm anzuvertrauen. Ich habe es ihm versprochen. Aber ich werde ihn nicht benachrichtigen. Ich will ihn nicht mehr sehen, niemals.

Ich habe mich in meinem Zimmer hingelegt. Ich bin krank. Clément ist es, der mir zu essen bringt. Ich esse wie ein Verhungerter. Als Clément meinem Hals mit seinen Zähnen zu nahe kommt, kratze ich ihn. In der Nacht schließe ich meine Tür zu. Ich höre ihn die ganze Nacht hinter der Tür rumoren. Ich habe ihn aufgefordert, mir Marie zu schicken. Er hat mir geantwortet, daß sie an einer Embolie gestorben wäre und man sie begraben hätte. In der Mitte meines Zimmers liegt auf dem Parkettfußboden ein kleiner Haufen Wäsche. Es sind zwei schmutzige, blutbefleckte Hemden, auf denen zwei Köpfe liegen: Clément hat sie mir gebracht. Er hat mir gesagt, daß er, als er durch die Schlucht kroch, die Leichen der Schwestern Tronchin gefunden hätte. Er ist durch den Geruch des toten Fleisches angelockt worden. Er hat die Köpfe mit dem Beil abgeschlagen, das er auch in der Schlucht gefunden hatte. Er hat sie mir zusammen mit den Hemden gebracht, um mir ein Vergnügen zu machen. Es riecht schlecht. Er will sie nicht wieder mitnehmen. Ich empfinde Abscheu und Grauen.

14

Soeben kommt ein Mann in mein Zimmer. Er stellt sich vor:
Polizeiinspektor.
Ich sage:
»Polizei?«
Ich richte mich auf meinem Lager halb auf.
Er fragt:
»Sind Sie Fräulein Vermot?«
»Ja.«
Er zeigt mir einen Gegenstand.
»Gehört das Ihnen?«
Ich sehe ein rundes Medaillon an einem Silberkettchen.
Jede Seite zeigt ein Porträt unter Glas. Das eine dieser Por-
träts stellt mich selber dar; das andere zeigt meine Mutter.
Er macht mich darauf aufmerksam, daß unter meinem
Porträt noch ein anderes versteckt ist. Es ist das Porträt von
Nizou.
Ich frage:
»Wo haben Sie das gefunden?«
Er antwortet:
»Auf dem Grund der Schlucht, auf dem Ödland hinter dem
Haus, das Ihrem gegenüber liegt. Man hat dabei auch zwei
Körper gefunden, zwei Leichen ohne Köpfe. Man nimmt an,
daß es sich um die Überreste der Schwestern Tronchin han-
delt. Haben Sie eine Erklärung für die Anwesenheit dieses
Anhängers auf den Leichen, mit der Erde vermischt, von der
die Körper zum Teil bedeckt waren? Sind Sie dort vor einiger
Zeit spazierengegangen?«
Als ich das höre, breche ich in ein lautes Gelächter aus. Ich
lache, weil ich mit diesem Ausgang zufrieden bin. Ich fühle
mich erleichtert. Ich konnte mein Geheimnis nicht mehr er-
tragen. Ich will übrigens sterben. Soll man Schluß machen.
Ich antworte:
»Es muß von meinem Hals abgegangen sein, als ich die
Erde auf meine ... Opfer geworfen habe.«

Er macht eine bestürzte Miene. Sicher hat er geglaubt, daß ich eine List gebrauchen, leugnen würde. Vielleicht hat er mich auch für unschuldig gehalten.

Er fragt:

»Waren Sie nicht Lehrerin?«

Glaubt er denn, daß eine Lehrerin kein Herz hat, keine Leidenschaften, wie alle anderen auch? Ich antworte nicht auf seine Frage. Ich habe ihm gesagt, er solle sich umdrehen, weil ich mich anziehen will . . . Seitdem ich meinen Entschluß gefaßt habe, fühle ich mich stark. Ich nehme mein Kleid und ziehe mich an.

Während ich mich anziehe, sage ich zu ihm, er solle die Wäsche inmitten des Zimmers aufheben. In dieser Wäsche . . .

Ich höre seinen entsetzten Ausruf. Jetzt ist er überzeugt, er hat keinen Zweifel mehr . . .

Es ist soweit: Ich bin bereit. Er packt mich am Arm. Er zieht mich energisch fort. Am Bürgersteig stand ein kleines graues Automobil. Wir sind hineingestiegen.

Ich bin im Gefängnis. Ich bin fast glücklich, weil bald alles vorbei sein wird. Ich habe meinen Anwalt zur Verzweiflung gebracht, weil ich mich nicht verteidigen will. Er behauptet, daß es ein Verbrechen ›aus Leidenschaft‹ ist und daß ich meinen Kopf noch retten kann. Ich will meinen Kopf nicht retten. Ich habe vorführen müssen, wie ich meine Verbrechen begangen habe. Das ist an den Orten des Verbrechens geschehen.

Vor dem Schwurgericht hat der öffentliche Ankläger gesagt, daß ich meiner amourösen ›Geilheit‹ ein Sühneopfer von drei unschuldigen Menschenleben gebracht hätte. Er hat meinen Kopf gefordert.

Mein Anwalt hat versucht, mich für geistesgestört erklären zu lassen, weil ich Halluzinationen gehabt habe. Aber die ›Psychiater‹-Experten, die mich untersuchten, haben erklärt, daß ich für meine Taten voll verantwortlich war. Ich habe alles getan, was ich konnte, damit sie zu einem solchen Ergebnis kamen: Als sie mich untersuchten, habe ich ihnen auf ihre Fragen mit zynischer Logik geantwortet. Sie haben vollkommen eingesehen, daß ich nicht verrückt war. Sie haben erklärt, daß ich durch meine Gewissensbisse das Gedächtnis verloren habe.

Vom Richter befragt, habe ich bestätigt, daß ich nichts bereue und daß ich im gegebenen Fall alles noch einmal tun würde. Ich habe gesagt, daß ich die Gesellschaft haßte, Gott und die Welt, weil die von Anfang an schlecht ist, und daß diejenigen, die Liebe suchen, die Hölle finden. Ich habe Gotteslästerungen und Schimpfworte ausgestoßen. Ich war wie ein Teufel, den die Hölle ausgespien hat. Ich habe das absichtlich getan, damit man mich verurteilt.

Das Gericht hat sich zur Beratung zurückgezogen. Sichtlich erschreckt durch meine Flüche und Verwünschungen, haben mir die Geschworenen mildernde Umstände verweigert. Der Richter spricht das Urteil: Ich bin zum Tode verurteilt.

Ich weiß immer noch nicht, warum ich das Gedächtnis verloren habe. Gewissensbisse sind nicht schuld daran. Übrigens habe ich keine Gewissensbisse.

15

Man macht mich für die Hinrichtung zurecht. Man führt mich nach draußen. Kein Priester ist an meiner Seite. Ich glaubte, das im Gefängnishof errichtete Schafott zu sehen. Es ist kein Schafott da. Man geht über den Hof. Man hält sich nicht auf im Hof. Man läßt mich in einen schwarzen Wagen steigen, der von schwarzen Pferden gezogen wird. In dem Wagen sitzen vor mir ein Mann und eine Frau. Ich kenne sie. Ich habe sie schon gesehen. Sie ist die Frau von der Agentur A. V., die Dame, die auf ihrer Brust einen kleinen Knochen an einem Kettchen trägt; es ist diejenige, die in der Agentur die Namen aufruft. Er ist der Mann von der Agentur A. V.; er ist der Herr vom Kellerraum, der mir meinen Namen und meine Adresse genannt hat. Er hat einen Augenschirm, der sein Gesicht verbirgt, und eine große schwarze Brille, wegen der man seine Augen nicht sehen kann. Er hält eine brennende Kerze. Was tun? Warum sind diese beiden hier, in diesem Wagen? Ich verstehe das nicht. Sie sehen mich an, ohne zu sprechen. Sie sagen nichts. Ich frage:

»Wohin werde ich gebracht?«

Sie antworten nicht.

Der Wagen fährt geräuschlos. Er hält an. Man läßt mich aussteigen. Ich sehe ein großes Gittertor, offen. Ich höre Trauergesänge. Plötzlich fällt die Nacht hernieder.

Ich ahne im Schatten eine Guillotine, die nicht weit hinter dem Gitter aufgerichtet ist. Wir schreiten auf die Guillotine zu. Der Mann der Agentur deutet auf sie. Er zeigt mir die Guillotine.

Er sagt:

»*Das ist das Werkzeug, das Ihren Gedächtnisverlust hervorgerufen hat.*«

Ich verstehe nicht, was er damit sagen will.

Die Frau zeigt mir etwas zu meinen Füßen. Der Mann senkt seine Kerze zum Boden hinunter. Ich sehe ein Grab.

Der Herr sagt:

»Lesen Sie.«

Ich lese das, was auf der Steinplatte geschrieben ist. Es steht geschrieben:

JACQUELINE VERMOT

Unter meinem Namen sind zwei Daten angegeben: das meiner Geburt und das *meines Ablebens*.

Ich halte einen Schrei zurück, meine Hand fährt zur Kehle,

greift ins Leere. Ich sehe das Schafott nicht mehr. Der Mann und die Frau sind verschwunden. Ich erkenne den Friedhof des Dorfes wieder, voller Gräber. Rote Flämmchen schlagen aus den Gräbern hervor. Ich bin von Flammen umgeben.

Endlich verstehe ich alles:

Ich bin eine lebende Enthauptete!

Ich bin in der Hölle. Alles beginnt wieder von vorn, auf ewig!

Ich bin verdammt!

16

Ich laufe die Hauptstraße einer großen Stadt entlang. Seit einer Viertelstunde laufe ich schon. Ich kenne den Namen dieser Stadt nicht. Ich weiß nicht, wie ich heiße; ich weiß nicht, wer ich bin. Ich weiß nicht, woher ich komme. Ich weiß nicht, wohin ich gehe. Ich weiß nicht, was ich vor der Viertelstunde getan habe, die soeben vergangen ist. Wenn ich mich anstrenge, mich zu erinnern, ist alles in mir leer.

Ich habe etwas Blut an den Fingern: Das kommt von meinem Hals, wenn ich mit der Hand meine Kehle berühre. Ich habe Angst. Ich muß irgendwo Zuflucht suchen. Aber wohin gehen? Wer kann mir einen Rat geben? Wer kann mir sagen, wer ich bin? Ich wende mich an einen Polizisten, der den Verkehr regelt. Er zeigt mit seinem Stöckchen auf ein Schaufenster. Über diesem lese ich die Worte:

AGENTUR A. V.

geschrieben in großen gelben Buchstaben. Ich drücke die Türklinke herunter. Ich trete ein . . .

Die Agentur A. V. hat meine Adresse herausgefunden. Es ist eine gute Agentur. Ich wohne, wie es scheint, in einem kleinen Dorf, nicht weit von der Stadt. Ich habe ein Taxi genommen, dann bin ich in den Bus umgestiegen, der zum Dorf fährt. Durch die Scheiben betrachte ich das Land: einen Fluß, Bäume, Hügel. Ich kenne die Landschaft nicht. Der Bus fährt mir nicht schnell genug. Ich brenne vor Ungeduld. Es dauert zu lange. Ich werde bestimmt die Leute wiedererkennen; ich werde mein Haus wiederfinden. Ich werde wissen, wer ich bin.

Nach und nach wird mein Gedächtnis wiederkommen.